Dr. FISCH

Le romancier anglais Graham
ted. Après des études à Oxf
secrétaire de rédaction au Times, *puis critique littéraire et cinéma-tographique au* Spectator.
Pendant la seconde guerre mondiale, mobilisé dans les services de renseignements, il accomplit des missions en Afrique occidentale.
Graham Greene a beaucoup voyagé et certains des pays qu'il a connus ont servi de cadre à ses romans – le Mexique pour La Puissance et la Gloire, *la Sierra Leone pour* Le Fond du problème, *l'Indochine pour* Un Américain bien tranquille, *Haïti pour* Les Comédiens, *etc.*
Dans l'œuvre importante de cet écrivain, les dilemmes du croyant face au monde moderne tiennent une place prépondérante – même dans ceux de ses livres classés, de façon un peu simpliste, comme « policiers »
Ses romans connaissent une large diffusion et presque tous ont été portés à l'écran.

Pas mal de rumeurs courent dans Genève sur les dîners du Dr. Fischer et le mot orgie est nettement sous-entendu quand on parle des soirées offertes à ses amis fortunés par cet amphitryon devenu naguère encore plus riche qu'eux grâce au lancement du *Bouquet Dentophile,* dentifrice à succès.
Voilà tout ce qu'en sait Alfred Jones lorsqu'il rencontre sa fille Anna-Luise et l'épouse. La cinquantaine, une main perdue pendant la guerre, un modeste emploi de traducteur : Jones est à cent lieues socialement du Dr. Fischer et de ses commensaux. Une invitation à l'un des fameux dîners lui permet de mesurer combien il s'en trouve loin moralement.
Orgies, ces dîners? Non, pires. Abominables, disait Anna-Luise – la Soirée des Cailles avait dû l'être en effet pour que Mme Faverjon, qui aimait tant les oiseaux, se soit suicidée ensuite. Avant, elle avait fait ce qu'il fallait pour mériter le « cadeau » offert en récompense aux convives dociles.
Voir quel degré d'humiliation un être peut endurer par cupidité, tenter son prochain pour se réjouir de sa déchéance, jeu satanique d'un homme qui se prend pour Dieu le Père ou revanche désespérée de qui se sait exclu d'un Paradis? La mort de Mme Faverjon n'est pas la seule à porter au débit du Dr. Fischer de Genève – et là est son secret...
Le secret et le ressort d'un récit-apologue où à nouveau l'éternelle question de l'âme et de son salut est posée par Graham Greene avec l'économie de moyens, l'art du suspense et l'humour qui lui ont valu son immense audience.

ŒUVRES DE GRAHAM GREENE

Dans Le Livre de Poche :

La Puissance et la Gloire.
Le Troisième Homme.
Tueur à gages.
Orient-Express.
Rocher de Brighton.
Les Naufragés.
Le Ministère de la Peur.
L'Homme et lui-même.
La Saison des pluies.
Le Fond du problème.
La Fin d'une liaison.
Les Comédiens.
Voyages avec ma tante.
C'est un champ de bataille.
Voyage sans cartes.
Le Consul honoraire.
Routes sans lois.
Une sorte de vie.
Un certain sens du réel.
Le Facteur humain.
L'Agent secret.

GRAHAM GREENE

Docteur Fischer de Genève

ROMAN

TRADUIT DE L'ANGLAIS
PAR ROBERT LOUIS

LAFFONT

Titre original :

DOCTOR FISCHER OF GENEVA OR THE BOMB PARTY

Traduction française :
Éditions Robert Laffont, S. A., Paris, 1980.

« Celui qui a une fois régalé ses amis a éprouvé la sensation d'être César. »

HERMAN MELVILLE

A ma fille, Caroline Bourget, chez qui me vint l'idée de cette histoire, autour de la table de Noël, à Jongny.

1

JE crois que je détestais le docteur Fischer plus qu'aucun homme que j'aie connu, tout comme j'ai aimé sa fille plus qu'aucune femme au monde. Il est vraiment étrange qu'elle et moi ayons été amenés à nous rencontrer, et plus étrange encore que nous nous soyons mariés. Anna-Luise et son millionnaire de père habitaient une grande maison blanche de style classique au bord du lac à Versoix, à la sortie de Genève. Quant à moi, j'occupais les fonctions de traducteur-rédacteur dans l'énorme immeuble de verre de la chocolaterie de Vevey. Un monde aurait pu nous séparer, et non un simple canton. Lorsque je me mettais au travail, le matin à huit heures et demie, elle devait encore être endormie dans sa chambre à coucher rose et blanche qui ressemblait, me dit-elle un jour, à un gâteau de mariage. Lorsque j'avalais à la hâte un sandwich en guise de déjeuner, elle était sans doute en peignoir et se coiffait devant son miroir. Mes employeurs me payaient trois mille francs par mois sur la vente de leurs chocolats, somme qui correspondait à peu près, j'imagine, aux revenus d'une demi-matinée pour le docteur Fischer. Bien des années auparavant, le docteur Fischer avait créé le Bouquet Dentophile, un dentifrice qui était censé tenir en échec les infections provoquées par la consommation abusive de nos chocolats. Le mot Bouquet suggérait qu'un choix de parfums était proposé, et la première publicité représentait des fleurs assemblées avec goût. « Quelle est votre fleur préférée? » Plus tard, on vit des créatures de rêve, photographiées en flou artistique, une fleur entre les dents. La fleur changeait avec chaque fille.

Mais ce n'était pas à cause de son argent que je détestais le docteur Fischer. Je haïssais en lui l'orgueil, le mépris du monde entier, la cruauté. Il n'aimait personne, pas même sa fille. Il ne prit d'ailleurs pas la peine de s'opposer à notre mariage, car je n'étais pas plus indigne à ses yeux que ses soi-disant amis, qui accouraient toujours à son plus léger signe de tête. Anna-Luise les appelait en anglais « Toads » (crapauds), confondant ce mot avec « Toadies » (flagorneurs). Je ne tardais pas à adopter sa dénomination. Parmi les crapauds se trouvaient un acteur de cinéma alcoolique nommé Richard Deane, Krueger, un divisionnaire – rang très élevé dans l'armée suisse, qui ne compte qu'un seul général en temps de guerre –, Kips, avocat international, M. Belmont, conseiller fiscal, et une Américaine aux cheveux bleus, Mrs. Montgomery. Le général, ainsi que l'appelaient certains membres du groupe, était à la retraite; Mrs. Montgomery jouissait d'un veuvage satisfaisant, et tous avaient choisi de s'installer autour de Genève pour les mêmes raisons, que ce fût pour échapper à l'impôt dans leur propre pays, ou afin de profiter des dispositions cantonales qui servaient leurs intérêts. A l'époque où j'entrai en relation avec eux, seuls le docteur Fischer et le divisionnaire possédaient la nationalité helvétique, et le docteur Fischer était de loin le plus riche du groupe. Il régnait sur les autres en maniant la carotte et le bâton. Ils vivaient tous dans l'aisance, et pourtant, comme ils les appréciaient, ces carottes. C'est dans la perspective de les gagner qu'ils supportaient ces abominables soirées où leur hôte commençait toujours par les humilier (je l'imagine très bien, lors des premiers dîners, en train de demander : « N'avez-vous donc aucun sens de l'humour ? »), la récompense ne venant que plus tard. A la fin, ils apprirent à rire avant même que la plaisanterie fût lancée. Ils se considéraient comme une élite – beaucoup de gens, dans la région de Genève, enviaient leur amitié avec le grand docteur Fischer. (A quoi correspond ce titre, je l'ignore encore aujourd'hui. Peut-être l'avaient-ils créé pour lui dans un but honorifique, de la même manière qu'ils donnaient du « général » au divisionnaire.)

Comment en suis-je venu à aimer la fille du docteur Fischer ? Cela se passe d'explication. Elle était jeune et jolie, généreuse et intelligente; je ne puis songer à elle sans que les larmes me viennent aux yeux; mais quel mystère devait recouvrir l'amour qu'elle me porta. Plus de trente ans nous séparaient lorsque je fis sa connaissance et, assurément, rien en moi ne pouvait attirer une fille de son âge. Jeune homme, on m'avait affecté au corps des pompiers pendant le blitz, et je perdis la main gauche lors de cette fameuse nuit de 1940 où la Cité de Londres brûla. La petite pension que je touchai après la guerre suffit à peine à mon installation en Suisse, où je pus gagner ma vie grâce à ma connaissance des langues étrangères, que je devais à mes parents. La situation de mon père, un diplomate d'échelon mineur, me donna l'occasion, durant mon enfance, de séjourner en France, en Turquie et au Paraguay, pays dont j'appris les langues respectives. Par une étrange coïncidence, mes parents furent tués la nuit même de mon accident; leurs corps restèrent ensevelis sous les décombres d'une maison de West Kensington, tandis que ma main disparaissait quelque part dans Leadenhall Street, près de la Banque d'Angleterre.

Comme tous les diplomates, mon père fut élevé à la chevalerie et finit ses jours avec le titre de Sir Frederick Jones – en Angleterre, personne ne songea à rire ou à s'étonner de la réunion d'un tel nom et d'un titre honorable, bien que je dusse découvrir par la suite qu'aux yeux du docteur Fischer, un simple Monsieur A. Jones était porteur de ridicule. Malheureusement pour moi, mon père conjuguait la carrière diplomatique avec l'étude de l'histoire anglo-saxonne, ce qui l'amena naturellement à me donner le prénom d'Alfred, l'un de ses héros (je crois que ma mère regimba devant « Aelfred »). Sans que l'on puisse se l'expliquer, ce prénom s'était déprécié aux yeux des classes moyennes, dont nous faisions partie; fréquemment raccourci en

Alf, il appartenait désormais exclusivement au prolétariat. Peut-être était-ce pour cela que le docteur Fischer, l'inventeur du Bouquet Dentophile, ne m'appela jamais autrement que Jones, même après que j'eus épousé sa fille.

Quant à Anna-Luise – qu'est-ce qui avait pu l'attirer chez un quinquagénaire? Se pouvait-il qu'elle fût en quête d'un père plus sympathique que le docteur Fischer, tout comme, pour ma part, je recherchais peut-être inconsciemment une fille plutôt qu'une épouse? Ma femme était morte en couches vingt ans auparavant et l'enfant, dont les docteurs m'informèrent que c'était une fille, ne survécut pas. J'étais amoureux de ma femme, mais je n'avais pas atteint l'âge où l'on aime vraiment, et peut-être n'en avais-je pas eu le temps. Je doute qu'on cesse jamais d'aimer, mais on peut cesser d'être amoureux aussi facilement que l'on se détourne d'un auteur admiré durant l'enfance. Le souvenir de ma femme s'effaça assez rapidement, et ce n'est pas la fidélité qui m'empêcha de chercher une nouvelle épouse – d'avoir trouvé une femme qui voulut bien me prendre pour amant malgré ma main de plastique et mes peu séduisants revenus constituait quasiment un miracle dont je ne pouvais espérer qu'il se renouvellerait. Lorsque le besoin d'une femme se faisait trop pressant, j'avais toujours la ressource de l'amour tarifé, même en Suisse, après que mon emploi à la chocolaterie fut venu s'ajouter à ma pension et au modeste héritage de mes parents (très peu de chose, en vérité, mais du moins leur capital, investi en Angleterre dans l'emprunt de guerre, était-il exempt d'impôt).

Ma première rencontre avec Anna-Luise eut lieu autour d'une paire de sandwiches. Je venais de commander mon ordinaire de midi et elle avalait une bouchée avant de rendre visite à une petite dame de Vevey qui avait été sa nourrice. Je me levai de table pour aller aux toilettes, le temps qu'on prépare mon sandwich; j'avais posé un journal sur ma chaise afin d'indiquer que la place était prise, mais Anna-Luise, sans voir le journal, s'assit de l'autre côté de ma table. Lorsque je revins, elle dut remarquer mon infirmité – malgré le gant que je portais pour dissimuler ma prothèse de plastique – et ce fut sans doute pour cette raison qu'elle ne quitta pas la table en s'excusant. (J'ai déjà noté à quel point elle était prévenante. Elle ne ressemblait en rien à son père. J'aurais aimé connaître sa mère.)

On apporta nos sandwiches en même temps – jambon pour elle, fromage pour moi; elle avait commandé un café et moi de la bière; il s'ensuivit un instant de confusion car la serveuse crut que nous étions ensemble... et comme de bien entendu, soudain, ce fut le cas, nous étions deux amis qui se retrouvent après plusieurs années de séparation. Ses longs cheveux acajou, qu'elle portait ramenés en arrière et retenus par une barrette d'écaille traversée d'une baguette, selon la coiffure dite, je crois, à la chinoise, possédaient l'éclat d'un vernis. Alors même que je lui disais poliment bonjour, je m'imaginai en train de retirer cette baguette pour faire tomber d'un même mouvement la barrette d'écaille au sol et ses cheveux sur ses épaules. Elle était tellement différente des Suissesses que je croisais chaque jour dans la rue, avec leur frais minois, tout beurre et crème, et leur regard vide que le manque d'expérience rendait invulnérable. Anna-Luise avait acquis assez d'expérience en vivant seule avec le docteur Fischer après la mort de sa mère.

Nous échangeâmes nos noms avant même d'avoir achevé nos sandwiches. Lorsqu'elle me dit s'appeler Fischer, je poussai une exclamation. « Pas *ce* Fischer-*là*. »

« J'ignore qui est *ce* Fischer-*là*.

– Le docteur Fischer, celui des dîners. » Elle hocha la tête et je vis que je l'avais blessée.

« Je n'assiste pas à ces dîners », répondit-elle. Je m'empressai d'ajouter que la rumeur publique exagère toujours.

« Non, déclara-t-elle. Les dîners sont abominables. »

Peut-être est-ce afin de changer de sujet qu'elle fit directement allusion à mon infirmité. La plupart des gens affectent de ne pas la remarquer, bien qu'ils y jettent fréquemment un coup d'œil furtif quand ils pensent que mon attention est sollicitée ailleurs. Je parlai à

Anna-Luise du blitz, de cette nuit dans la Cité de Londres, des flammes qui illuminaient le ciel jusque dans le West-End, de sorte qu'on pouvait lire un livre à une heure du matin. Ma caserne se trouvait près de Tottemham Court Road, et le secteur Est ne réclama pas notre aide avant le petit matin. « Plus de trente ans ont passé, ajoutai-je, mais on dirait que cela ne fait que quelques mois. »

« C'était l'année du mariage de mon père. Selon ma mère, il donna une fête spectaculaire après la cérémonie. Voyez-vous, ajouta-t-elle, le Bouquet Dentophile avait déjà assuré sa fortune. Nous étions neutres et le rationnement ne s'appliquait pas réellement aux riches. Je suppose qu'on peut considérer cette soirée comme le premier de ses dîners. Il y avait des parfums français pour les dames et des fouets à champagne en or pour les messieurs – il aimait accueillir des femmes à sa table, en ce temps-là. Les réjouissances se sont prolongées jusqu'à cinq heures du matin. Ce n'est pas exactement l'idée que je me fais d'une nuit de noces. »

« Les bombardiers sont repartis à cinq heures et demie, dis-je. J'avais déjà été transporté à l'hôpital, mais j'ai entendu le signal de fin d'alerte depuis mon lit. » Nous commandâmes deux autres sandwiches et elle refusa de me laisser payer le sien. « Une autre fois », dit-elle, et je vis dans sa phrase la promesse d'au moins une autre rencontre. La nuit du blitz et ce déjeuner aux sandwiches : ce sont mes souvenirs les plus proches et les plus nets, plus clairs encore que celui du jour où Anna-Luise mourut.

Une fois les sandwiches achevés, je la regardai s'éloigner avant de prendre le chemin du bureau, où m'attendaient cinq lettres en espagnol et trois en turc à propos d'une nouvelle série de chocolats au lait parfumés au whisky. Sans aucun doute, le Bouquet Dentophile irait se targuer de les rendre inoffensifs pour les gencives.

2

C'est ainsi que les choses commencèrent entre nous, mais il fallut un mois de rencontres espacées à Vevey et de séances dans un petit cinéma d'art et d'essai à Lausanne, à mi-chemin entre nos demeures respectives, avant que je comprenne que nous étions amoureux l'un de l'autre et qu'Anna-Luise était prête à « faire l'amour » avec moi – absurde expression, car il n'est pas douteux que nous avions construit cet amour longtemps auparavant, entre un sandwich au jambon et un sandwich au fromage. Au vrai, nous formions un couple très vieux jeu. Je parlai mariage, sans beaucoup d'espoir, dès le premier après-midi – c'était un dimanche – où je couchai avec elle dans le lit que je n'avais pas pris la peine de faire ce matin-là, car je n'imaginais pas un instant qu'elle accepterait de rentrer avec moi après notre rendez-vous dans le salon de thé où nous nous étions connus. « J'aimerais que nous puissions nous marier » : telle fut ma façon de présenter la chose.

« Qu'est-ce qui nous en empêche ? » demanda-t-elle. Couchée sur le dos, elle contemplait le plafond. La barrette d'écaille traînait par terre et ses cheveux étaient répandus sur l'oreiller.

« Le docteur Fischer », répondis-je. Je le haïssais avant même de l'avoir rencontré et il me répugnait d'employer à son sujet l'expression « ton père ». Ne m'avait-elle pas dit que toutes les rumeurs concernant ses soirées étaient fondées ?

« Nous n'avons pas besoin de sa permission, fit-elle.

De toute façon, je ne pense pas que le sujet l'intéresserait.

– Je t'ai dit ce que je gagne. En argent suisse, ça ne représente pas beaucoup pour un couple.

– On arrivera à se débrouiller. Ma mère m'a laissé quelque chose.

– Il y a la question de mon âge. Je pourrais être ton père », ajoutai-je, songeant que je n'étais peut-être que cela, un substitut au père qu'elle n'aimait pas, et que je devais mon succès au docteur Fischer. « J'aurais même pu être ton grand-père si je m'y étais pris assez tôt.

– Pourquoi pas ? dit-elle. Tu es mon amant et mon père, mon enfant et ma mère, tu es toute ma famille – la seule famille que je désire. » Elle posa sa bouche sur la mienne de sorte que je ne pus lui répondre, et quand elle plaqua son corps contre le mien, au creux du lit, son sang tâcha mes jambes et mon ventre. C'est ainsi que fut célébrée notre union, pour le meilleur et pour le pire, sans la bénédiction du docteur Fischer, ni, du reste, celle d'un prêtre. Nous nous acceptions une bonne fois pour toutes.

Elle regagna la maison blanche au bord du lac, fit ses bagages (étonnant, ce que les femmes parviennent à caser dans une seule valise) et s'en alla sans dire mot à quiconque. Il fallut à peu près trois jours, le temps d'acheter une armoire, quelques ustensiles de cuisine (je ne possédais même pas une poêle à frire) et un matelas plus confortable, pour que je me décide à remarquer : « Il va se demander où tu es. » « Il », pas « ton père. »

Elle était en train d'arranger ses cheveux à la chinoise, ainsi que je l'aimais. « Il ne s'est peut-être aperçu de rien, dit-elle.

– Ne prenez-vous pas vos repas ensemble ?

– Oh ! il est souvent sorti.

– Il vaudrait mieux que j'aille le voir.

– Pourquoi ?

– Il risque de lancer la police à ta recherche.

– Ils ne se donneraient pas beaucoup de mal. J'ai l'âge légal. Nous n'avons commis aucun délit. » Pour ma part, je n'en étais pas si sûr – un manchot à la cinquantaine avancée, qui passait ses journées à rédiger des lettres à propos de chocolats et venait d'inciter une fille qui n'avait pas encore vingt et un ans à vivre en concubinage : ce n'était pas un crime au regard de la loi, certes, mais cela en constituait peut-être un aux yeux du père. « Si tu y tiens vraiment, ajouta Anna-Luise, va le voir, mais sois prudent. Je t'en prie, sois prudent.

– Est-il redoutable à ce point ?

– C'est le diable en personne », dit-elle.

3

JE pris un jour de congé pour descendre jusqu'au lac, mais je faillis bien faire demi-tour en découvrant l'étendue du domaine, les bouleaux et les saules pleureurs, la grande cascade verte de la pelouse devant un portique à colonnades et le lévrier endormi, telle une figure héraldique. J'eus le sentiment que j'aurais dû me présenter à l'entrée de service.

Un homme en veste blanche vint ouvrir la porte à mon coup de sonnette. « Le docteur Fischer? demandai-je.

— De la part de qui? » répliqua-t-il d'un ton brusque. Je devinai qu'il était anglais.

« Mr. Jones. » Il me fit gravir quelques marches, jusqu'à une sorte de couloir-salon meublé de deux canapés, de quelques bergères et d'un grand lustre. Une femme d'un certain âge aux doigts couverts de bagues en or et aux cheveux aussi bleus que sa robe occupait l'un des canapés. L'homme à la veste blanche s'éclipsa.

Nous échangeâmes un regard, puis j'examinai la pièce en songeant à l'origine de tout ce que j'avais sous les yeux — le Bouquet Dentophile. Ce salon aurait pu être la salle d'attente d'un dentiste en vogue, dont nous serions tous deux les clients. Au bout d'un moment, la femme m'adressa la parole en anglais, avec un léger accent américain. « C'est un homme tellement occupé, n'est-ce pas? Il doit même faire attendre ses amis. Je suis Mrs. Montgomery.

— Je m'appelle Jones.

– Je ne me rappelle pas vous avoir vu à l'une de ses soirées.
– Non.
– Bien sûr, il m'arrive d'en rater une. On ne peut pas être toujours là, n'est-il pas vrai ? Pas toujours.
– Je suppose que non.
– Naturellement, vous connaissez Richard Deane.
– Je ne l'ai jamais rencontré. Mais j'ai vu son nom dans les journaux. »
Elle eut un petit rire. « Vous êtes un coquin, je le sens. Vous connaissez le général Krueger ?
– Non.
– Alors, vous devez connaître Mr. Kips ? » Il y avait dans sa voix comme un mélange d'inquiétude et d'incrédulité.
« J'ai entendu parler de lui. C'est un conseiller fiscal, je crois ?
– Non, non. Vous pensez à M. Belmont. Comme c'est curieux que vous ne connaissiez pas Mr. Kips. »
Je sentis qu'une explication s'imposait. « Je suis un ami de sa fille.
– Mais Mr. Kips n'est pas marié.
– Je veux parler de la fille du docteur Fischer.
– Oh ! Je ne l'ai jamais rencontrée. Elle est d'un naturel très réservé. Elle n'assiste pas aux soirées du docteur Fischer. Quel dommage. Nous aimerions tous la connaître mieux. »
L'homme en veste blanche revint annoncer d'un ton où je crus déceler une certaine insolence : « Le docteur Fischer a une petite poussée de fièvre, m'dame. Il regrette de ne pas pouvoir vous recevoir.
– Demandez-lui s'il a besoin de quelque chose – je m'en occuperai immédiatement. Une bonne grappe de muscat ?
– Le docteur Fischer a déjà du muscat.
– Je disais ça pour prendre un exemple. Demandez-lui ce que je peux faire pour lui. Quoi que ce soit. »
La sonnette de l'entrée retentit. Sans daigner répondre à Mrs. Montgomery, le domestique alla ouvrir. Lorsqu'il reparut, un vieil homme maigre et presque courbé en deux, vêtu d'un costume sombre, le suivait

sur les marches menant au salon. Il projetait sans arrêt sa tête vers l'avant et ressemblait un peu, me dis-je, à un sept. Il tenait son bras gauche replié contre son flanc d'une manière qui évoquait le graphisme de ce chiffre en usage dans l'Europe continentale.

« Il est enrhumé, dit Mrs. Montgomery, il ne vous recevra pas.

– Mr. Kips a un rendez-vous », fit le domestique, puis, sans plus s'occuper de nous, il précéda Mr. Kips sur l'escalier de marbre. Je l'interpellai. « Dites au docteur Fischer que j'ai un message de sa fille.

– Une poussée de fièvre! s'exclama Mrs. Montgomery. N'en croyez rien. En allant par là, on accède à son bureau, et non à sa chambre. Mais vous connaissez la maison, naturellement.

– C'est la première fois que j'y viens.

– Oh! je vois. Tout s'explique – vous n'êtes pas l'un d'entre nous.

– Je vis avec sa fille.

– Vraiment. Voilà qui est bien intéressant, vous ne manquez pas de franchise. Je me suis laissée dire qu'elle est jolie. Mais je ne l'ai jamais vue. Ainsi que je vous l'expliquais, elle n'aime pas les soirées. » La femme leva une main en faisant tinter un bracelet en or. « C'est moi qui me charge de tout, voyez-vous, dit-elle. Je dois tenir le rôle de maîtresse de maison chaque fois que le docteur Fischer donne une réception. Je suis la seule femme qu'il invite, à présent. C'est un grand honneur, bien entendu – mais tout de même... habituellement, c'est le général Krueger qui choisit le vin... s'il y a du vin, ajouta-t-elle mystérieusement. Le général est un fin connaisseur.

– N'y a-t-il pas toujours du vin à ses réceptions? »

Elle me regarda en silence, comme si ma question avait quelque chose d'impertinent. Puis elle se radoucit un peu.

« Le docteur Fischer, dit-elle, possède un remarquable sens de l'humour. Je m'étonne qu'il ne vous ait pas convié à l'une de ses soirées. Mais étant donné la situation, peut-être ne serait-ce guère indiqué. Nous formons un groupe *très fermé,* ajouta-t-elle. Nous nous connaissons tous très bien, et nous sommes tellement, mais tellement, attachés au docteur Fischer. Enfin, vous devez au moins connaître M. Belmont – M. Henri Belmont ? Il peut résoudre n'importe quel problème fiscal.

– Je n'ai aucun problème fiscal », dus-je avouer.

Tandis que je m'installais sur le second canapé, au-dessous du lustre de cristal, je me rendis compte que je n'aurais pas fait un impair beaucoup plus grave en lui disant que je n'aspirais pas correctement la lettre *h* : manifestement embarrassée, Mrs. Montgomery avait détourné les yeux.

En dépit du titre mineur qui avait valu à mon père un éphémère strapontin dans le *Who's who,* je ne me sentais pas à ma place en compagnie de Mrs. Montgomery, et voici que, pour ajouter à ma honte, le domestique redescendit l'escalier, puis annonça, sans m'accorder un regard : « Le docteur Fischer recevra Mr. Jones jeudi à cinq heures. » Sur quoi, il disparut dans les régions inconnues de cette grande demeure dont il me semblait étrange de penser que si peu de temps auparavant, c'était le foyer d'Anna-Luise.

« Eh bien, Mr. Jones – c'est votre nom, n'est-ce pas ? J'ai été heureuse de faire votre connaissance. Je vais attendre un peu afin d'avoir des nouvelles de notre ami de la bouche de Mr. Kips. Nous devons prendre soin du cher homme. »

Ce n'est que plus tard que je compris que je venais de rencontrer les deux premiers Crapauds.

4

« LAISSE tomber, me conseilla Anna-Luise. Tu n'as pas de comptes à lui rendre. Tu ne fais pas partie des Crapauds. Il sait parfaitement bien où je me trouve en ce moment.

– Il sait que tu vis avec un nommé Jones – c'est tout.

– Il peut, s'il le désire, connaître ton nom, ta profession, ton lieu de travail, tout. Tu as le statut de résident. Comme tel, tu es fiché à la police. Il lui suffit de demander.

– Les fichiers sont secrets.

– Ne va pas croire que quelque chose puisse rester secret si mon père s'en mêle. Il y a probablement un Crapaud jusque dans la police.

– A t'entendre, on croirait que c'est Dieu le Père – que sa volonté soit faite sur la Terre comme aux cieux.

– Ça fait à peu près le tour du personnage.

– Tu éveilles ma curiosité.

– Oh! va au rendez-vous si tu y tiens. Mais sois prudent. Je t'en prie, sois prudent. Et sois plus prudent que jamais si tu le vois sourire.

– D'un sourire Bouquet Dentophile », persiflai-je, car nous utilisions bel et bien cette marque, sur la recommandation de mon dentiste. Peut-être faisait-il aussi partie des Crapauds.

« Ne mentionne jamais Dentophile devant lui. Il n'aime pas qu'on lui rappelle l'origine de sa fortune.

– Il ne s'en sert pas?

– Non. Il utilise un appareil qu'on appelle Aqua-Pic. Evite d'aborder le sujet de l'hygiène dentaire, sinon il pensera que tu en as après lui. Il se moque des autres, mais personne ne se moque de lui. Il a le monopole de la raillerie. »

Quand je m'éclipsai du bureau à quatre heures et demie, le jeudi suivant, il ne me restait rien du courage dont je m'étais senti capable en compagnie d'Anna-Luise. Je n'étais plus qu'un nommé Alfred Jones, qui gagnait trois mille francs suisses par mois, un quinquagénaire qui travaillait pour une chocolaterie. J'avais laissé ma Fiat à Anna-Luise; je pris le train jusqu'à Genève et marchai de la gare à une station de taxis. Il y avait, non loin de la station, ce que les Suisses désignent sous le nom de pub anglais, et celui-ci s'appelait, ô surprise, le Winston Churchill. Il était doté d'une enseigne indéchiffrable, de boiseries, de vitraux (représentant, on ne sait pourquoi, les Deux Roses, rouge et blanche, de Lancastre et de York), ainsi que d'un comptoir à l'anglaise, équipé de leviers de porcelaine qui constituaient probablement les seules antiquités authentiques du lieu, car ce qualificatif ne pouvait guère s'appliquer aux sièges de bois sculpté ou aux pseudo-fûts qui servaient de tables, pas plus qu'à la Whitbread pression. Les heures d'ouverture ne suivaient pas la tradition britannique, ce dont je me réjouis, car j'avais bien l'intention d'ingurgiter un peu de courage avant de prendre mon taxi.

Comme la bière pression coûtait presque aussi cher que le whisky, j'optai pour un whisky. J'avais besoin de parler pour ne pas ressasser mes pensées. Je m'installai donc au bar et tentai d'engager la conversation avec le patron.

« Vous avez beaucoup de clients anglais ?

– Non, répondit-il.

– Comment cela se fait-il ? J'aurais cru que...

– Ils n'ont pas d'argent. » C'était un Suisse, et pas des plus coulants.

Je bus un second whisky et ressortis. Au chauffeur de taxi, je demandai : « Connaissez-vous la maison du docteur Fischer, à Versoix ? » Celui-ci était un

Suisse français, plus abordable que le mastroquet.

« Vous allez voir le docteur ?

– Oui.

– Vous feriez bien d'être prudent.

– Pourquoi ? Il n'est pas dangereux, tout de même ?

– *Un peu farfelu*[1].

– Comment cela ?

– N'avez-vous pas entendu parler de ses soirées ?

– Je n'ai eu que des rumeurs. Personne ne m'a donné de détails.

– C'est qu'ils sont tenus au secret par un serment.

– Qui donc ?

– Ses invités.

– Dans ce cas, comment les gens peuvent-ils savoir quelque chose ?

– En fait, personne ne sait rien. »

Le même domestique insolent vint m'ouvrir.

« Avez-vous rendez-vous ? demanda-t-il.

– Oui.

– Quel nom ?

– Jones.

– Je ne sais s'il pourra vous recevoir.

– J'ai rendez-vous, je viens de vous le dire.

– Oh ! les rendez-vous, fit-il dédaigneusement. Tout le monde prétend en avoir un.

– Dépêchez-vous d'aller lui dire que je suis là. »

Il me lança un regard mauvais et disparut. Cette fois, il me laissa sur le seuil. Il tarda à revenir et je faillis m'en aller. Je le soupçonnais de lambiner. Lorsqu'il reparut enfin, ce fut pour m'annoncer : « Il va vous recevoir. » Il me fit entrer dans le salon et me mena jusqu'à l'escalier de marbre. En montant les marches, je remarquai un tableau représentant une femme vêtue d'amples draperies et tenant un crâne avec une expression de grande tendresse. Je n'ai rien d'un expert, mais cela me fit l'effet d'un original du XVIIe siècle, non d'une reproduction.

« Mr. Jones », annonça le domestique.

En tournant mon regard vers le docteur Fischer, je

1. En français dans le texte.

m'étonnai de découvrir un homme à peu près semblable aux autres, un homme qui avait plus ou moins mon âge, avec une moustache rousse et des cheveux qui commençaient à perdre leur éclat – peut-être teignait-il sa moustache. Il avait des poches sous les yeux et de très lourdes paupières. Il occupait, derrière un grand bureau, l'unique siège confortable de la pièce.

« Asseyez-vous, Jones », dit-il sans se lever ni me tendre la main. Cela ressemblait plus à un ordre qu'à une invite, mais le ton n'était pas hostile – j'aurais pu être l'un de ses employés, habitué à rester debout, et auquel il aurait décidé d'accorder un petit traitement de faveur. Je pris une chaise et le silence tomba entre nous. Le docteur finit par dire : « Vous vouliez me parler ?

– Je pensais que c'est vous qui désireriez sans doute me parler.

– Comment serait-ce possible ? » demanda-t-il. Il eut un léger sourire et la mise en garde d'Anna-Luise me revint en mémoire. « Jusqu'à ce que vous vous présentiez l'autre jour, j'ignorais votre existence. Au fait, que dissimule ce gant ? Une difformité ?

– J'ai perdu une main.

– J'imagine que ce n'est pas pour cela que vous êtes venu me consulter. Je ne suis pas ce genre de docteur.

– Je vis avec votre fille. Nous songeons à nous marier.

– C'est toujours une décision difficile à prendre, dit-il, mais elle vous appartient à tous les deux. Ce n'est pas mon problème. Votre difformité est-elle héréditaire ? Je suppose que vous avez abordé ce point important ?

– J'ai perdu ma main à Londres, pendant le blitz. » Finalement, j'ajoutai : « Nous pensions que vous deviez être mis au courant.

– Votre main n'entre guère dans mes préoccupations.

– Je faisais allusion à notre mariage.

– Cette nouvelle aurait pu m'être communiquer plus facilement par écrit, me semble-t-il. Vous vous seriez épargné un voyage à Genève. » Il donnait l'impression que Genève, socialement parlant, était aussi éloigné de notre logement de Vevey que Moscou.

« Vous ne semblez guère vous inquiéter de votre fille.

– Vous la connaissez probablement mieux que moi, Jones, si vous en êtes à vouloir l'épouser, et vous venez de me relever de toute responsabilité qui a pu être mienne dans le passé.

– Vous ne voulez pas son adresse?

– J'imagine qu'elle habite avec vous?

– Oui.

– Et vous êtes dans l'annuaire?

– Oui. A Vevey.

– Alors, il n'est pas nécessaire que vous écriviez l'adresse. » Il m'accorda un autre de ses redoutables petits sourires. « Eh bien, Jones, c'était fort civil de votre part de venir me voir, même si cela ne s'imposait pas vraiment. » On me congédiait sans ambages.

« Au revoir, docteur Fischer. » J'étais presque à la porte lorsqu'il m'adressa de nouveau la parole.

« Jones, dit-il, est-ce que par hasard vous vous y connaîtriez en porridge? Je veux parler du vrai porridge. Pas des Quaker Oats. En tant que Gallois, peut-être – vous avez un nom gallois...

– Le porridge est un plat écossais, et non gallois.

– Ah! on m'aura mal renseigné. Merci, Jones, ce sera tout, je crois. »

Lorsque je rentrai chez nous, Anna-Luise m'accueillit avec un visage inquiet. « Comment s'est passée la prise de contact?

– Il n'y a pas eu de contact du tout.

– Il s'est montré odieux avec toi?

– Je ne dirais pas cela – il n'a pas manifesté le moindre intérêt à notre égard.

– Est-ce qu'il a souri?

– Oui.

– Il ne t'a pas invité à une soirée?

– Non.

– Dieu merci.

– Merci docteur Fischer, répondis-je, à moins que ça ne revienne au même? »

5

UNE ou deux semaines plus tard, notre mariage fut célébré à la mairie en présence d'un collègue de bureau auquel j'avais demandé de servir de témoin. Le docteur Fischer ne s'était pas manifesté, bien que nous lui eussions annoncé par écrit la date de la cérémonie. Nous étions très heureux, d'autant plus heureux à la pensée que nous serions seuls – à l'exception du témoin, naturellement. Nous fîmes l'amour une demi-heure avant d'aller à la mairie. « Pas de gâteau, dit Anna-Luise, pas de demoiselle d'honneur, pas de prêtre, pas de famille – c'est parfait. Comme ça, c'est sérieux – on se sent vraiment mariés. Autrement, ça ressemble à une réception.

– Une des réceptions du docteur Fischer ?

– Presque aussi affreux. »

Il y avait au fond de la salle un individu que je ne connaissais pas. Je l'aperçus en regardant nerveusement par-dessus mon épaule, car je m'attendais presque à voir surgir le docteur Fischer : très grand, maigre, l'homme avait les joues creuses et sa paupière gauche était agitée d'un tic. Pendant un instant, je crus qu'il me clignait de l'œil et répondis pareillement, mais mon clin d'œil suscita chez lui un regard vide de toute expression. Je le cataloguai alors comme un officiel attaché au service du maire. On avait disposé devant la table deux chaises à notre intention. Derrière nous, M. Excoffier, le témoin, se balançait nerveusement sur ses jambes. Anna-Luise me chuchota quelque chose que je ne compris pas.

« Que dis-tu ?
– C'est un des Crapauds.
– Monsieur Excoffier ! m'exclamai-je.
– Non, non, le type du fond. » A ce moment, la cérémonie commença, et la présence de cet homme me rendit nerveux pendant tout son déroulement. Je me rappelai cet instant du rite anglican où le pasteur invite quiconque aurait connaissance d'un juste motif ou d'un empêchement mettant obstacle à l'union de ces deux êtres par les liens sacrés du mariage à prendre la parole, et je ne pus m'empêcher de me demander si le docteur Fischer n'avait pas dépêché un Crapaud à cet effet. Toutefois, la question ne fut pas posée, rien ne se produisit, les choses suivirent leur cours normal et le maire – je suppose qu'il s'agissait bien du maire – nous serra la main en nous souhaitant d'être heureux, avant de s'éclipser par une porte, de l'autre côté de la table. « Allons arroser ça, dis-je à M. Excoffier – nous le lui devions bien, en échange de sa silencieuse obligeance – une bouteille de champagne nous attend aux Trois-Couronnes. »

L'homme maigre nous clignait toujours de l'œil depuis le fond de la salle. « Y a-t-il une autre sortie ? » demandai-je au secrétaire de mairie – si telle était bien sa fonction –, en indiquant la porte derrière la table, mais, non, déclara-t-il, c'était hors de question. Nous n'avions pas le droit d'emprunter cette sortie, elle n'était pas destinée au public, aussi ne nous resta-t-il d'autre recours que d'affronter le Crapaud. Lorsque nous fûmes parvenus à la porte, l'inconnu m'arrêta. « Monsieur Jones, je suis M. Belmont. Je vous apporte quelque chose de la part du docteur Fischer. » Il me tendit une enveloppe.

« Ne la prends pas », dit Anna-Luise. Dans notre ignorance, nous redoutions tous deux une assignation.

« Madame Jones, il vous envoie ses meilleurs vœux de bonheur.
– Vous êtes un conseiller fiscal, n'est-ce pas ? dit-elle. Que valent ses meilleurs vœux ? Dois-je les déclarer au fisc ? »

J'avais ouvert l'enveloppe, qui contenait simplement

un bristol imprimé. « Le docteur Fischer prie (ici, il avait ajouté à la main le nom « Jones », sans lui accorder la grâce d'un « monsieur ») de lui faire le plaisir d'assister à une réunion entre amis à l'occasion d'un dîner sans cérémonie le (10 novembre, également écrit à la main) à 10 h 30. R.S.V.P.

– Une invitation ? demanda Anna-Luise.

– Oui.

– Il ne faut pas que tu y ailles.

– Le docteur sera extrêmement déçu, dit M. Belmont. Il souhaite tout particulièrement que Mr. Jones vienne se joindre à nous. Il y aura Mme Montgomery, et M. Kips, naturellement, et nous espérons que le divisionnaire...

– Une réunion de Crapauds, dit Anna-Luise.

– Des Crapauds ? Des Crapauds ? Je ne vois pas de quoi il s'agit. Je vous en prie, le docteur est très désireux de présenter votre mari à tous ses amis.

– Je vois d'après cette carte que ma femme n'est pas invitée.

– Aucune de nos épouses ne l'est. Pas de dames. C'est devenu la règle pour nos petites réunions. J'en ignore la raison. Il fut un temps où... mais Mme Montgomery est la seule exception, à présent. On pourrait dire qu'elle représente à elle seule l'ensemble de son sexe. » Une expression malencontreuse lui échappa. « Elle est bien brave.

– J'enverrai une réponse ce soir, dis-je.

– Je vous assure que vous raterez vraiment quelque chose si vous ne venez pas. Les soirées du docteur Fischer sont toujours très distrayantes. Il possède un grand sens de l'humour, et il est tellement généreux. Nous nous amusons beaucoup. »

Avant de rentrer chez nous, nous bûmes notre bouteille de champagne aux Trois-Couronnes en compagnie de M. Excoffier. Le champagne était excellent, mais c'est la journée qui ne pétillait plus. Le docteur Fischer avait semé le désaccord entre nous. En effet, je commençai à soutenir qu'au fond, je n'avais rien contre lui. Il aurait facilement pu s'opposer à notre mariage ou du moins exprimer sa désapprobation. En me faisant parvenir une invitation à l'une de ses soirées, il m'avait en un sens offert un cadeau de mariage qu'il serait grossier de refuser.

« Il veut que tu deviennes un Crapaud.

– Mais je n'ai rien contre les Crapauds. Sont-ils vraiment aussi affreux que tu le dis? J'ai rencontré trois d'entre eux. Je t'accorde que Mrs. Montgomery ne m'a pas emballé.

– J'imagine qu'ils n'ont pas toujours été des Crapauds. Il les a tous corrompus.

– On ne peut corrompre que les gens corruptibles.

– Et comment sais-tu que tu ne l'es pas?

– Je n'en sais rien. Peut-être ne serait-il pas mauvais de le découvrir.

– Ainsi, tu vas le laisser te mener sur une hauteur, d'où il te montrera tous les royaumes de ce monde.

– Je ne suis pas le Christ et il n'est pas Satan; d'ailleurs, je croyais que nous nous étions mis d'accord pour dire qu'il est Dieu Tout-Puissant – mais j'imagine qu'aux yeux des damnés, Dieu Tout-Puissant ressemble beaucoup à Satan.

– Bon, d'accord, vas-y et sois damné. »

Notre dispute ressemblait à un feu qui se meurt : il semble sur le point de s'éteindre, mais l'instant d'après, une poignée d'étincelles rallume une brindille carbonisée et fait jaillir une flamme éphémère. Elle ne prit fin que lorsque je me rendis aux arguments d'Anna-Luise en la voyant pleurer sur l'oreiller. « Tu as raison, dis-je. Je ne lui dois rien. Ce n'est qu'un bout de carton. Je n'irai pas. Je te promets que je n'irai pas.

– Non. Tu as raison et c'est moi qui ai tort. Je sais que tu n'es pas un Crapaud, mais *toi,* tu n'en sauras rien à moins d'assister à cette foutue soirée. Vas-y, je t'en prie. Je te jure que je ne suis plus en colère. Je veux que tu y ailles. » Puis elle ajouta : « C'est mon père, après tout. Peut-être n'est-il pas si mauvais que cela. Peut-être t'épargnera-t-il. Il n'a pas épargné ma mère. »

Cette querelle nous avait fatigués. Elle s'endormit dans mes bras sans que nous eussions fait l'amour et je sombrai à mon tour.

Le lendemain matin, j'envoyai ma réponse en bonne et due forme : « Monsieur A. Jones a le plaisir d'accepter l'aimable invitation du docteur Fischer... » Je ne pus m'empêcher de me dire : que de bruit pour rien. Mais j'avais tort. Grandement tort.

6

On ne revint pas sur l'incident. C'était l'une des grandes qualités d'Anna-Luise : elle ne revenait jamais sur un différend, ni sur une chose convenue. Lorsqu'elle décida de m'épouser, je sus que c'était pour la vie. Elle ne mentionna plus une seule fois la réception, et les dix jours qui suivirent comptèrent parmi les plus heureux de mon existence. Pour moi, retrouver, en rentrant le soir, un appartement qui n'était plus vide et le son d'une voix que j'aimais constituait un extraordinaire changement.

Ce bonheur ne sembla un peu menacé qu'à une seule occasion, lorsque je dus me rendre à Genève afin de rencontrer un important confiseur espagnol, venu de Madrid pour traiter une affaire avec mon entreprise. L'homme m'emmena au Beau-Rivage, où il m'offrit un excellent déjeuner que je ne pus pleinement apprécier, car mon hôte parla chocolats sans désemparer, et ce dès l'apéritif – je me rappelle qu'il commanda un alexandra saupoudré de chocolat granulé. On pourrait croire que le chocolat constitue un sujet assez limité, mais ce n'était certes pas le cas pour un important fabricant aux idées révolutionnaires. Il acheva son repas par une mousse au chocolat, qu'il critiqua sévèrement car il y manquait quelques zestes d'orange. En le quittant, je me sentais un rien dérangé du côté du foie, comme si j'avais goûté chaque sorte de chocolat fabriquée par ma compagnie depuis ses origines.

C'était une journée d'automne humide et lourde. Je

me dirigeais vers la place où j'avais garé ma voiture, tout en essayant d'échapper aux vapeurs conjuguées de l'air et du lac, ainsi qu'au goût de chocolat qui m'empâtait la langue, lorsqu'une voix de femme se fit entendre. « Ah! Mr. Smith, vous êtes exactement l'homme qu'il me faut. » Je me retournai pour découvrir Mrs. Montgomery sur le seuil d'un magasin de luxe, une sorte d'Asprey[1] suisse.

« Jones, fis-je par simple réflexe.

– Je suis vraiment désolée. J'ai si peu de mémoire. Je ne sais pourquoi je m'imaginais que vous étiez Mr. Smith. Mais peu importe, en l'occurrence, car c'est d'un homme que j'ai besoin. Rien que d'un homme. Un point, c'est tout.

– S'agit-il d'une proposition? demandai-je, mais la plaisanterie lui échappa.

– Je veux que vous entriez avec moi et que vous m'indiquiez quatre objets que vous aimeriez posséder – si vous étiez assez déraisonnable pour vous les payer. »

Elle me prit par le bras et m'attira à l'intérieur du magasin. La vue de tous ces produits de luxe me rendit malade, un peu de la même manière que le chocolat du déjeuner – tout semblait être en or (dix-huit carats) ou en platine, bien qu'il y eût également, à l'intention des clients moins fortunés, des articles d'argent et de cuir. Je me souvins des bruits que j'avais entendu circuler au sujet des soirées du docteur Fischer, et il me semblait deviner ce que cherchait Mrs. Montgomery. Elle prit un étui de maroquin rouge contenant un coupe-cigare en or. « N'aimeriez-vous pas en avoir un? » demanda-t-elle. Cela m'aurait coûté pas loin d'un mois de salaire.

« Je ne fume pas le cigare », répondis-je. Puis j'ajoutai : « Vous ne devriez pas choisir ça. N'en a-t-il pas déjà offert à l'occasion de ses noces? Je ne pense pas que le docteur Fischer aime à se répéter.

– En êtes-vous sûr?

1. Célèbre bijouterie de Bond Street qui présente également une gamme de cadeaux de luxe (N.d.T.).

— Non. En réalité, je crois qu'il s'agissait de fouets à champagne.

— Mais vous n'en êtes pas *sûr?* demanda-t-elle d'un ton déçu. Vous ne pouvez savoir à quel point il est difficile de trouver quelque chose qui fasse plaisir à tout le monde — surtout aux hommes.

— Pourquoi ne pas tout simplement leur donner des chèques ?

— Ça ne se fait pas, d'offrir des chèques. Ce serait insultant pour les gens.

— Peut-être qu'aucun de vous ne s'estimerait insulté si le montant des chèques était assez élevé. »

Je la sentais réfléchir à ce que je venais de dire, et la suite des événements me donne à penser qu'elle dut répéter ma remarque au docteur Fischer. « Ça n'irait pas. Non, ça n'irait pas du tout. Imaginez qu'on offre un chèque au général — ça ressemblerait à un pot-de-vin.

— Ce ne serait pas la première fois qu'un général accepte un pot-de-vin. D'ailleurs, s'il est suisse, il ne peut être général. Ce n'est probablement qu'un divisionnaire.

— Et la pensée de donner un chèque à Mr. Kips. Voyons, c'est inconcevable. N'allez répéter à personne que je vous l'ai dit, mais en fait, ce magasin appartient à Mr. Kips. » Elle se concentra. « Et une montre à quartz en or — ou mieux encore, en platine? Seulement, peut-être qu'ils en ont déjà une.

— Ils ont toujours la possibilité de revendre la nouvelle.

— Je suis bien certaine qu'aucun d'entre eux ne songerait à revendre un cadeau. Pas un cadeau du docteur Fischer. »

Ainsi, j'avais deviné juste et le secret était éventé. Je la vis déglutir comme si elle tentait de ravaler ses paroles.

Je m'emparai d'un cadre de photographie en peau de porc. Au cas où les gens qui fréquentaient ce magasin n'auraient pas été suffisamment évolués pour connaître l'utilité d'un tel objet, la direction avait fait mettre dans le cadre un portrait de l'acteur de cinéma Richard

Deane. Même moi, j'avais assez lu les journaux pour reconnaître ce visage de jeune vieux et ce sourire éthylique.

« Que pensez-vous de ceci ? demandai-je.

– Oh ! vous êtes impossible », gémit Mrs. Montgomery, mais cela ne l'empêcha pas, comme la suite le révéla, d'aller répéter également cette suggestion ironique au docteur Fischer.

Je crois qu'elle ne fut pas fâchée de me voir partir. Je n'avais pas été d'un grand secours.

7

« EST-CE que tu hais ton père ? » demandai-je à Anna-Luise après lui avoir rendu compte des événements de cette journée, à commencer par mon déjeuner avec le confiseur espagnol.

« Je ne l'aime pas. » Puis elle ajouta : « Oui, je crois que je le hais.

– Pourquoi ?

– Il a rendu ma mère malheureuse.

– Comment cela ?

– Son orgueil. A cause de son infernal orgueil. »

Elle me parla de l'amour que sa mère portait à la musique, alors que son père la détestait – de cette haine-là, on ne pouvait douter. Anna-Luise ignorait la raison d'un tel état de choses, mais on aurait dit que la musique narguait le docteur en lui renvoyant au visage sa propre incapacité à la comprendre, sa propre stupidité. Stupide, l'inventeur du Bouquet Dentophile, dont la fortune se chiffrait par millions de francs ? Toujours est-il que la mère d'Anna-Luise prit l'habitude de s'éclipser discrètement pour assister seule à des concerts, et c'est ainsi qu'un jour, elle fit la connaissance d'un homme qui partageait son amour de la musique. Ils allèrent jusqu'à acheter des disques ensemble et à les écouter en secret dans l'appartement de l'homme. Désormais, quand le docteur Fischer parlait du miaulement des cordes, elle ne cherchait plus à le contredire – à une rue de là, près du boucher, elle n'avait qu'à dire un mot dans un interphone et à prendre l'ascenseur jusqu'au troisième étage pour connaître une heure de bonheur en écoutant Heifetz. Ils ne couchaient pas ensemble – de cela, Anna-Luise était sûre, et il ne s'agissait pas d'une question de fidélité. Le sexe, c'était le docteur Fischer, et sa mère n'y avait jamais pris goût; le sexe, c'était la douleur de l'enfantement, et une immense solitude lorsque le docteur Fischer grognait de plaisir. Elle-même, pendant des années, avait simulé l'orgasme : sur ce point, elle pouvait facilement tromper son mari, car celui-ci ne se souciait nullement de la jouissance de sa partenaire. La mère d'Anna-Luise lui avait avoué tout cela dans un accès d'hystérie.

Mais le docteur Fischer vint à découvrir les occupations de sa femme. Il l'interrogea, elle lui avoua la vérité, il ne la crut pas – ou peut-être la crut-il, mais peu lui importait qu'elle le trompât avec un homme ou avec un disque de Heifetz, avec un enregistrement de ces miaulements auxquels il ne comprenait rien. En entrant dans une région où il ne pouvait la suivre, elle l'abandonnait. La jalousie dont il fit preuve la contamina au point qu'elle commença à se dire qu'il y avait sûrement une raison – elle se sentit coupable de quelque chose, mais de quoi, elle ne le savait pas au juste. Elle s'excusa, s'humilia, lui raconta tout – allant jusqu'à préciser lequel des disques de Heifetz lui plaisait le plus, et dès lors, elle eut l'impression que le Docteur lui faisait l'amour avec haine. Elle ne put expliquer ce dernier point à sa fille, mais je me représentais assez bien la chose – la manière dont il la pénétrait comme on poignarde un ennemi. Toutefois, il ne pouvait se satisfaire d'un seul coup fatal. Il lui fallait le supplice des mille coupures. Il dit qu'il lui pardonnait, ce qui ne fit qu'accroître le sentiment de culpabilité de son épouse, car après tout, il devait bien y avoir quelque chose à pardonner, mais il déclara également qu'il ne pourrait jamais oublier sa trahison – quelle trahison ? Aussi la réveillait-il en pleine nuit pour la frapper encore de son aiguillon. Elle apprit qu'il avait découvert le nom de son ami – l'inoffensif mélomane – et qu'il était allé offrir cinquante mille francs à son employeur pour obtenir son renvoi sans références. « Il s'agissait de

Mr. Kips », dit Anna-Luise. L'ami de sa mère était un simple employé de bureau – personne d'important, rien qu'un clone qu'on peut remplacer par un autre clone. L'amour de la musique était son seul trait distinctif, et Mr. Kips ignorait tout de cela. Aux yeux du docteur Fischer, le fait que l'homme gagnât si peu constituait un affront supplémentaire. Il ne se serait pas offusqué d'avoir été trahi par un autre millionnaire – telle était du moins l'opinion de son épouse. Dans la personne du Christ, il aurait à coup sûr méprisé le fils du charpentier, si le Nouveau Testament n'était pas devenu, le temps aidant, un tel succès de librairie.

« Et l'homme, que lui est-il arrivé ?

– Elle ne l'a jamais su, dit Anna-Luise. Il a tout bonnement disparu. Ainsi que ma mère, au bout de quelques années. Je crois qu'elle était pareille à ces Africains qui peuvent se laisser mourir par un effort de leur volonté. Elle ne m'a parlé qu'une seule fois de sa vie personnelle, et ce fut pour m'en dire ce que je viens de te raconter. Tel que je me le rappelle.

– Et toi ? Comment te traitait-il ?

– Il ne m'a jamais traitée vraiment mal. Je ne l'intéressais pas assez pour cela. Seulement vois-tu, je crois que le petit employé de Mr. Kips l'a vraiment piqué au vif et qu'il ne s'en est jamais remis. Peut-être fut-ce alors qu'il apprit à haïr les gens et à les mépriser. Et c'est ainsi qu'après le décès de ma mère, l'assemblée des Crapauds fut convoquée pour son amusement. Mr. Kips fut naturellement le premier d'entre eux. Mon père ne pouvait en rester là, avec Mr. Kips. En un sens, il s'était mis à nu devant lui. Il devait donc l'humilier à son tour, comme il avait humilié ma mère : Mr. Kips *savait*. Il en fit donc son avocat, ce qui l'obligeait au silence.

– Mais comment s'y est-il pris pour l'humilier ?

– C'est vrai que tu ignores de quoi Mr. Kips a l'air.

– Mais non. Je l'ai aperçu pour la première fois, lorsque j'ai cherché à être reçu par ton père.

– Alors, tu sais qu'il est pratiquement plié en deux. Déformation de la colonne vertébrale.

– Oui. J'ai trouvé qu'il ressemblait au chiffre sept.

– Mon père a engagé un célèbre auteur de livres pour enfants et un excellent dessinateur. A eux deux, ils ont créé une sorte d'album de bande dessinée intitulé *Les Aventures de Mr. Kips en quête d'un dollar.* Il m'a donné un exemplaire témoin. Je ne savais pas qu'il existait un véritable Mr. Kips. J'ai trouvé l'album à la fois très drôle et très cruel. Mr. Kips était toujours plié en deux et passait son temps à repérer les pièces de monnaie que les passants avaient laissé tomber sur le trottoir. Le livre est sorti à l'époque de Noël, et mon père a pris des dispositions – avec argent à l'appui, naturellement – pour qu'il soit bien exposé dans les vitrines de toutes les librairies. Les exemplaires devaient être placés à une certaine hauteur, de manière que Mr. Kips, s'il passait par là, ne pût manquer de les voir. Les noms d'avocats – surtout s'il s'agit d'un avocat international qui ne s'occupe pas du genre d'affaire criminelle qui a la faveur populaire –, ne sont jamais très connus du public, même dans la ville où ils exercent, et je crois qu'un seul libraire refusa d'exposer l'ouvrage, de peur d'être poursuivi en diffamation. Mon père s'était simplement engagé à payer les frais éventuels. Le livre a remporté un grand succès – la plupart des enfants sont cruels, j'imagine – et connu de nombreuses rééditions. Il est même passé en feuilleton dans un journal. Je crois que mon père a gagné beaucoup d'argent avec cette histoire – ce qui n'a pas dû être une mince satisfaction pour lui.

– Et Mr. Kips ?

– Il a appris la chose à l'occasion du premier des « dîners » particuliers de mon père. Chaque invité avait trouvé à côté de son assiette un cadeau, petit mais somptueux, d'or ou de platine – à l'exception de Mr. Kips, qui eut droit à un gros colis enveloppé de papier marron et contenant un exemplaire de l'ouvrage, relié en maroquin rouge à son intention. Sans doute était-il furieux, mais il dut jouer la comédie devant les autres convives, et d'ailleurs il avait les mains liées, car mon père lui versait à titre provisionnel des honoraires considérables, en échange desquels il n'avait pas à fournir le moindre travail, et qu'il perdrait s'il faisait un éclat. Sait-on jamais? C'est peut-être lui qui a acheté des exemplaires en nombre suffisant pour assurer le succès du livre. Mon père m'a tout raconté. Il trouvait l'histoire très drôle. « Mais pourquoi ce pauvre « Mr. Kips? » lui ai-je demandé. Naturellement, il ne m'a pas donné la vraie raison. « Oh! je m'amuserai aux « dépens de chacun d'eux, à la longue, disait-il. Alors, tu « perdras tous tes amis, à la longue », ai-je répondu. « Ne va pas croire ça. Tous mes amis sont riches, et il « n'y a pas plus cupide que les riches. La seule fierté « des riches vient de ce qu'ils possèdent. C'est unique- « ment avec les pauvres qu'il faut faire attention. »

– Alors, nous ne risquons rien, dis-je. Nous ne sommes pas riches.

– Oui, mais peut-être ne sommes-nous pas assez pauvres pour lui. »

Elle possédait une sagesse avec laquelle je ne pouvais rivaliser. Peut-être était-ce aussi une des raisons pour lesquelles je l'aimais.

8

SEUL désormais dans l'appartement, j'essaie d'évoquer notre bonheur à deux avant cette première soirée en compagnie des Crapauds. Mais comment donner une idée du bonheur ? Le malheur, rien de plus facile à décrire – j'étais malheureux parce que... on se souvient d'une chose ou d'une autre, on donne de bonnes raisons, tandis que le bonheur est pareil à l'une de ces îles perdues du Pacifique que les marins signalent lorsqu'elle émerge de la brume où nul cartographe ne l'avait indiquée. L'île disparaît à nouveau le temps d'une génération, mais aucun navigateur ne pourra être sûr qu'elle a seulement existé dans l'imagination d'une vigie morte depuis longtemps. J'ai beau me répéter que je fus pleinement heureux durant cette période, lorsque je cherche une explication, rien d'adéquat ne me vient à l'esprit.

Le bonheur entre-t-il dans l'amour physique ? En aucun cas. Il s'agit d'une excitation, d'une sorte de délire qui parfois se rapproche de la souffrance. Le bonheur est-il simplement contenu dans le son d'une respiration paisible sur l'oreiller voisin du mien, ou dans les bruits en provenance de la cuisine, qui m'accueillaient le soir lorsque je rentrais du travail et lisais le *Journal de Genève,* installé dans notre unique fauteuil ? Nous aurions pu nous en payer un second, mais, je ne sais comment, les semaines passaient sans que nous trouvions le temps, et lorsque nous nous sommes enfin décidés, à Vevey – en achetant par la même occasion un lave-vaisselle qui substitua au joyeux tintamarre du lavage fait à la main un raffut de salle des machines – l'île de notre grand bonheur s'était déjà perdue dans la brume.

A ce moment-là, la menace grandissante de la soirée chez le docteur Fischer s'était insinuée entre nous. Elle emplissait nos silences. Une forme trop sombre pour être celle d'un ange passait alors au-dessus de nos têtes. A la fin d'un de ces longs silences, j'exprimai mes pensées à voix haute : « Finalement, je crois que je vais lui écrire pour dire que je ne veux pas y aller. Je prétexterai...

– Quoi donc?

– Que nous partons en vacances. Je dirai – je dirai que ce sont des dates de congé imposées par ma boîte.

– Les gens ne prennent pas leurs congés en novembre.

– Alors, j'écrirai que tu n'es pas bien et que je ne peux pas te laisser.

– Il sait que je suis robuste comme un cheval. »

Ce n'était pas faux, en un sens, à condition de faire du cheval en question un pur-sang, qui, autant que je sache, nécessite des soins constants. Elle était mince et dotée d'une ossature harmonieuse. J'aimais suivre de la main le dessin de ses pommettes et la courbure de son crâne. Mais c'est surtout à ses poignets menus, nerveux comme la mèche d'un fouet, que l'on reconnaissait sa force : elle parvenait toujours à dévisser les pots qui avaient déjoué mes tentatives.

« N'en fais rien, poursuivit-elle. Tu as eu raison d'accepter, et c'est moi qui avais tort. Si tu laisses tomber à présent, tu passeras pour un lâche à tes propres yeux et tu ne te le pardonneras jamais. Après tout, il ne s'agit que d'une soirée. En réalité, il ne peut pas nous atteindre. Tu n'es pas Mr. Kips, tu n'es pas riche et nous ne dépendons pas de lui. Rien ne t'oblige à assister à une autre réception.

– Sois sûre que je n'en ferai rien », dis-je – et je le croyais. Il n'empêche que la date fatidique se rapprochait à toute allure. Un grand nuage s'étendait au-dessus de la mer; l'île n'était plus visible, je n'en connaîtrais jamais la longitude ni la latitude et ne pourrais les consigner sur aucune carte. Le temps viendrait où je douterais d'avoir jamais réellement vu l'île.

Dans le même accès de fièvre consommatrice, nous fîmes un autre achat : une paire de skis. La mère d'Anna-Luise l'avait initiée à ce sport dès l'âge de quatre ans, de sorte que c'était pour elle quelque chose d'aussi naturel que la marche, et la saison des neiges approchait. Lorsqu'elle vint s'installer chez moi à Vevey, Anna-Luise laissa ses skis à la maison, et rien ne put la persuader de retourner les chercher... il y avait aussi le problème des chaussures, qu'il fallut se procurer. Notre journée d'emplettes se révéla fort chargée, mais nous étions encore assez heureux, je suppose; tout ce qui pouvait nous occuper nous empêchait d'apercevoir les nuages. J'appréciai la sûreté de jugement dont elle fit preuve en choisissant ses skis, et ses pieds ne me parurent jamais plus jolis que lors des séances d'essayage des lourdes chaussures.

Si j'en crois mon expérience, les coïncidences heureuses sont chose rare. Il faut une bonne dose d'hypocrisie pour s'exclamer « quelle heureuse coïncidence! » lorsqu'on rencontre une relation dans un hôtel inconnu où l'on désire avant tout être seul. Sur le chemin du retour, nous sommes passés devant une librairie. Or, il est dans mes habitudes de jeter un coup d'œil à n'importe quelle vitrine de libraire – c'est presque un réflexe. Celle-ci était consacrée aux livres d'enfants, car en novembre, les magasins se préparent déjà à la ruée de Noël. Je donnai mon coup de périscope, et voici qu'au beau milieu de la vitrine, Mr. Kips, tête baissée vers le trottoir, cherchait son dollar.

« Regarde.

– Oui, dit Anna-Luise. Une nouvelle édition est toujours en place pour Noël. Peut-être mon père paie-t-il l'éditeur, à moins qu'il n'y ait à chaque fois une nouvelle génération de petits lecteurs.

– Mr. Kips doit être un chaud partisan de la pilule.

– Moi, je vais cesser de la prendre dès que la saison de ski sera terminée. Ainsi, Mr. Kips aura peut-être un lecteur de plus.

– Pourquoi attendre jusque-là?

– Je suis bonne skieuse, mais un accident est toujours possible. Je ne tiens pas à être enceinte dans le plâtre. »

Nous ne pouvions plus nous empêcher de penser à la soirée du docteur Fischer. « Demain » était presque là – était déjà là, dans nos têtes. Tout se passait comme si un requin était venu pointer son rostre près de la petite embarcation depuis laquelle, quelque temps auparavant, nous avions entrevu notre île. Nous sommes restés éveillés pendant des heures cette nuit-là. Nous étions couchés, épaule contre épaule, mais une distance presque infinie, mesure de notre désarroi, nous séparait.

« Nous sommes vraiment ridicules, déclara Anna-Luise. Car enfin que peut-il contre nous ? Tu n'es pas Mr. Kips. Il aurait beau faire placarder une caricature de toi sur toutes les devantures des magasins, qu'est-ce que ça pourrait bien nous faire ? Qui te reconnaîtrait ? Et tes patrons ne vont pas te virer parce qu'il leur aura donné cinquante mille francs, ce qui, pour eux, ne doit même pas représenter une demi-heure de profit. Nous ne dépendons pas du tout de lui. Nous sommes libres, libres. Répète après moi. Libres.

– Peut-être hait-il la liberté autant qu'il déteste les gens.

– Il n'a aucun moyen de te changer en Crapaud.

– Dans ce cas, j'aimerais savoir pourquoi il souhaite ma présence.

– Simplement pour montrer aux autres qu'il peut t'obliger à venir. Peut-être essaiera-t-il de t'humilier devant eux – voilà qui lui ressemblerait. Prends ton mal en patience pendant une heure ou deux, mais s'il va trop loin, jette-lui ton verre de vin à la figure et sors. Rappelle-toi toujours que nous sommes libres. Libres, mon chéri. Il ne peut nous blesser, ni toi ni moi. Nous sommes trop obscurs pour être humiliés. C'est comme lorsqu'un homme fait une scène à un garçon de café – il ne réussit à humilier que lui-même.

– Je sais. Tu as raison, naturellement. Tout ceci *est* ridicule, mais il n'en reste pas moins que j'aimerais savoir ce qu'il a en tête. »

Nous finîmes par trouver le sommeil. La journée du lendemain se traîna péniblement jusqu'au soir à la manière d'un infirme – à la manière de Mr. Kips. Le secret dont ils s'entouraient et le débordement de rumeurs invraisemblables avaient donné une note sinistre aux dîners du docteur Fischer, mais assurément la présence persistante du même groupe de Crapauds devait signifier qu'on y trouvait quelque agrément. Pourquoi Mr. Kips s'y était-il à nouveau présenté après avoir subi un tel affront ? Cela pouvait à la rigueur s'expliquer par la crainte de perdre ses honoraires, mais le divisionnaire – il n'aurait quand même pas toléré quelque chose de véritablement infamant ? Il n'est pas facile de s'élever jusqu'à ce grade dans la Suisse neutre, et un divisionnaire – retraité de surcroît – possède le prestige d'un oiseau d'une espèce rare et protégée.

Chaque détail de cette pénible journée est inscrit dans ma mémoire. Au petit déjeuner, mon toast était brûlé – par ma faute; j'arrivai au bureau avec cinq minutes de retard; on me transmit, pour traduction, trois lettres en portugais, langue que j'ignorais; je dus travailler pendant la pause de midi : stimulé par notre récent déjeuner, le confiseur espagnol m'avait fait parvenir vingt pages de suggestions et exigeait une réponse avant son départ pour Madrid (entre autres choses, il réclamait la modification d'un de nos articles en fonction du goût du public basque – il semble que nous avions sous-estimé, d'une manière qui échappe à ma compréhension, le sentiment national basque dans la conception de nos chocolats au lait parfumés au whisky). J'arrivai très en retard à la maison, me coupai en me rasant et faillis mettre une veste qui n'allait pas avec mon unique pantalon de couleur sombre. Je m'arrêtai à une station-service sur la route de Genève et dus payer en liquide car en changeant de costume, j'avais oublié de prendre ma carte de crédit. Tous ces incidents m'apparurent comme autant de présages d'une fâcheuse soirée.

9

Le déplaisant domestique, que j'avais espéré ne jamais retrouver sur mon chemin, m'ouvrit la porte. Cinq voitures luxueuses, dont trois avec chauffeur, étaient garées dans l'allée, et il me sembla que l'homme considérait ma petite Fiat 500 d'un œil dédaigneux. Puis il examina ma tenue, et je surpris son haussement de sourcils. « Quel nom ? » demanda-t-il, bien que je fusse convaincu qu'il s'en souvenait parfaitement. Il venait de s'exprimer en anglais, avec un soupçon de nasillement cockney, et n'avait donc pas oublié ma nationalité.

« Jones, dis-je.

– Le docteur Fischer est occupé.

– Il m'attend.

– Le docteur reçoit des amis à dîner.

– Il se trouve que je suis convié à ce dîner.

– Avez-vous un carton d'invitation ?

– Naturellement.

– Montrez-le-moi.

– Non. Je l'ai laissé chez moi. »

Il me regardait de travers, mais manquait d'assurance – cela se sentait. « Je ne pense pas que le docteur Fischer serait très content de voir une place vide à sa table, dis-je. Vous feriez bien d'aller vous renseigner auprès de lui.

– Quel nom avez-vous dit ?

– Jones.

– Suivez-moi. »

Et je suivis sa veste blanche dans l'entrée, puis sur

l'escalier. Parvenu à l'étage, il se tourna vers moi. « Si vous m'avez menti... si vous n'étiez pas invité... » Il fit mine de vouloir me boxer.

« Comment vous appelez-vous ? demandai-je.

– Qu'est-ce que ça peut vous faire ?

– Je compte simplement apprendre au docteur de quelle manière vous accueillez ses amis.

– Ses amis. Il n'a pas d'amis. J'aime autant vous dire que si vous n'étiez pas invité...

– Je le suis. »

Nous tournâmes du côté opposé au bureau où avait eu lieu ma première entrevue avec le docteur Fischer. Le domestique ouvrit brutalement une porte et grogna « Monsieur Jones. » J'entrai, sous le regard des Crapauds assemblés. Les hommes étaient en smoking et Mrs. Montgomery portait une robe longue.

« Entrez, Jones, dit le docteur Fischer. Servez dès que ce sera prêt, Albert. »

Le couvert était mis et les reflets d'un lustre jouaient sur les verres de cristal : même les assiettes creuses témoignaient d'un grand luxe. Leur présence, d'ailleurs, m'intrigua : ce n'était guère la saison des consommés froids. « Voici Jones, mon gendre, poursuivit le docteur Fischer. Il vous faut excuser son gant, qui cache une difformité. Mrs. Montgomery, Mr. Kips, Monsieur Belmont, Mr. Richard Deane, le divisionnaire Krueger. » (Ce n'était pas le genre du docteur Fischer d'attribuer un grade impropre à Krueger.) Je sentais leurs vapeurs hostiles se propager vers moi à la façon d'un gaz lacrymogène. Pour quelle raison ? Peut-être à cause de mon complet sombre. J'avais abaissé ce que les promoteurs immobiliers nomment le « standing ».

« J'ai déjà rencontré M. Jones, fit Belmont sur le ton du procureur qui identifie l'accusé.

– Moi aussi, ajouta Mrs. Montgomery. Brièvement.

– Jones est un éminent linguiste, dit le docteur Fischer. Il traduit des lettres à propos de chocolats. » Je compris qu'il avait dû se renseigner auprès de mes employeurs. « Nous avons recours à l'anglais lors de nos petites réunions, Jones, car Richard Deane a beau être une star, il ne connaît pas d'autre langue, bien qu'il s'essaie parfois à parler une sorte de français dans son verre – après le troisième. Dans les versions françaises de ses films, vous n'avez pu l'entendre que doublé. »

Comme en réponse à une indication de scène, tout le monde rit, à l'exception de Richard Deane, qui se fendit d'un sourire sans joie. « Après un verre ou deux, il possède toutes les qualités requises pour le rôle de Falstaff, si ce n'est qu'il lui manque l'humour et le poids. Ce soir, nous ferons de notre mieux pour combler cette seconde lacune. Quant à l'humour, je crains que cela ne nous dépasse. Vous êtes en droit de vous demander ce qui reste. Rien que sa popularité, qui décline rapidement, auprès des femmes et des adolescentes. Kips, vous n'avez pas l'air de vous amuser. Quelque chose ne va pas ? Peut-être vous manque-t-il vos apéritifs habituels. Mais ce soir, je ne voulais pas vous gâter le palais avant la suite.

– Non, non, je vous assure que tout va bien, docteur Fischer. Tout va bien.

– Je tiens à ce que tout le monde prenne du bon temps lors de nos petites réunions.

– Ses soirées sont sensationnelles, dit Mrs. Montgomery. Absolument sensationnelles.

– En toutes circonstances, le docteur Fischer est un hôte remarquable, m'apprit, non sans condescendance, le divisionnaire Krueger.

– Et tellement généreux, renchérit Mrs. Montgomery. Ce collier que je porte – c'est une récompense qui remonte à notre dernière réunion. » Il s'agissait d'un lourd collier de pièces d'or – qui, de loin, me parurent être des krugerrands[1].

« Il y a toujours une petite récompense pour chacun », murmura le divisionnaire. Il était bien vieux, bien gris et tombait probablement de sommeil. Je le préférais au reste de la bande, car il semblait m'avoir accepté plus facilement.

« Les récompenses, les voici, dit Mrs. Montgomery. Je l'ai aidé à choisir. » Elle alla jusqu'à une desserte où

1. Pièce d'or sud-africaine que l'on pourrait comparer au napoléon (N.d.T.).

je remarquai à présent une pile de paquets-cadeaux. Elle toucha l'un d'eux du bout du doigt, tel un enfant qui, à Noël, tâte la chaussette qu'il a suspendue au pied de son lit afin de deviner, au froissement produit, ce qu'elle contient.

« Et que récompense-t-on ? demandai-je.

– Certes pas l'intelligence, fit le docteur Fischer, où le divisionnaire ne gagnerait jamais rien. »

Ils observaient tous les cadeaux empilés.

« Il nous suffit de supporter ses petites lubies, expliqua Mrs. Montgomery, après quoi il distribue les récompenses. Un soir – le croiriez-vous ? – il a fait servir des homards et des casseroles d'eau bouillante. A nous de les attraper et de les faire cuire. Un homard a pincé le doigt du général.

– J'en porte encore la cicatrice, maugréa le divisionnaire Krueger.

– Son unique blessure au combat, commenta le docteur Fischer.

– Ce fut sensationnel, me confirma Mrs. Montgomery, pour le cas où ce point m'aurait échappé.

– Ses cheveux en ont viré au bleu, dit le docteur. Avant cette soirée, ils étaient d'un gris peu ragoûtant, et teintés de nicotine.

– Pas gris – c'était un blond naturel, et sans nicotine.

– Souvenez-vous des règles, Mrs. Montgomery. Contredisez-moi encore une fois et vous perdrez votre récompense.

– C'est arrivé à Mr. Kips lors d'une de nos réunions, fit Monsieur Belmont. Ça lui a coûté un briquet en or à dix-huit carats. Comme celui-ci. » Il tira de sa poche un étui de cuir.

« Je n'y ai pas perdu grand-chose, intervint Mr. Kips. Je ne fume pas.

– Attention, Kips. Ne dépréciez pas mes cadeaux, sinon, ce soir, le vôtre pourrait vous passer sous le nez une deuxième fois. »

Enfin quoi, me dis-je, c'est un asile, ici, avec un médecin fou à sa tête. Seule la curiosité m'y retenait – et certes pas la perspective d'une récompense quelconque.

« Peut-être, reprit le docteur Fischer, qu'avant que

nous passions à table – je compte bien que le dîner vous plaira et que vous saurez lui faire honneur, car j'en ai composé le menu avec beaucoup de soin –, je devrais expliquer à notre nouvel hôte le cérémonial d'usage lors de ces repas.

– C'est tout à fait nécessaire, fit Belmont. Je suis d'avis – si je puis me permettre – que vous auriez peut-être dû, disons, mettre aux voix sa participation. Après tout, nous formons une sorte de club. »

Kips intervint. « Je suis d'accord avec Belmont. Nous connaissons tous votre position. Nous acceptons certaines conditions. Tout est marqué du sceau de l'humour. Un étranger pourrait se méprendre.

– Mr. Kips en quête d'un dollar, dit le docteur Fischer. Vous craignez que la présence d'un nouveau convive n'entraîne une diminution de la valeur des récompenses, tout comme vous espériez que cette valeur augmenterait après la mort de deux de vos membres. »

Il y eut un silence. A en juger par l'expression de son regard, je crus que Mr. Kips s'apprêtait à répondre vertement, mais il se contenta de dire : « Vous m'avez mal compris. »

Le lecteur qui n'a pas assisté à la scène pourrait voir simplement dans tout ceci le joyeux persiflage des membres d'un club, qui se traitent gaillardement de tous les noms avant de s'attaquer en bons camarades à un repas solide et copieusement arrosé. Mais pour moi, tandis que j'observais les visages et sentais à quel point les sarcasmes menaçaient de dépasser les bornes, ces échanges facétieux sonnaient faux et paraissaient empreints d'hypocrisie. Un nuage gros de haine flottait au-dessus de l'assistance – haine de l'hôte envers ses invités, haine des invités envers leur hôte. Je me sentais totalement étranger, car j'avais beau les trouver tous antipathiques, mon sentiment n'était pas encore assez fort pour mériter le nom de haine.

« A table donc, dit le docteur Fischer, et j'expliquerai la raison d'être de mes petites réunions pendant qu'Albert servira. »

Je me trouvai placé à côté de Mrs. Montgomery, qui

était assise à la droite du maître de maison. J'avais Belmont pour voisin de droite et l'acteur Richard Deane en face de moi. Une bouteille d'excellent Yvorne était posée à côté de chaque assiette, à l'exception de celle de notre hôte, lequel, remarquai-je, préférait la vodka polonaise.

« Tout d'abord, fit le docteur Fischer, j'aimerais que nous buvions à la mémoire de nos deux – dirais-je de nos deux amis, pour la circonstance? – en ce jour anniversaire de leur mort, voici deux ans. Etrange coïncidence. C'est pour cette raison que j'ai choisi la date du dîner. Mme Faverjon est morte de sa propre main. Elle ne pouvait sans doute plus se supporter – quant à moi, j'y arrivais déjà difficilement, bien qu'elle m'eût d'abord paru un sujet d'étude intéressant. De toutes les personnes présentes autour de cette table, elle était la plus cupide – et ce n'est pas peu dire. C'était aussi la plus riche du lot. A un moment ou à un autre, j'ai pu voir chacun d'entre vous faire mine de s'insurger contre mes critiques, et il m'a fallu rappeler les récompenses de fin de repas dont vous risquiez de vous trouver privés. Tel ne fut jamais le cas avec Mme Faverjon. Elle acceptait tout et n'importe quoi de manière à rester en piste pour son cadeau, quoique elle eût pu aisément s'offrir l'équivalent. C'était une femme abominable, inqualifiable, et pourtant je dois reconnaître qu'à la fin elle sut manifester un certain courage. Je doute qu'aucun de vous soit jamais capable d'en faire autant, pas même notre vaillant divisionnaire. Je doute qu'un seul parmi vous ait ne fût-ce qu'envisager de débarrasser le monde de son inutile présence. Aussi vous demanderai-je de boire au fantôme de Mme Faverjon. »

J'obéis comme les autres.

Albert fit son entrée, porteur d'un plateau d'argent sur lequel étaient disposés un grand pot de caviar ainsi que plusieurs coupelles, également en argent et garnies de tranches d'œuf, d'oignon ou de citron.

« Vous excuserez Albert de me servir en premier, fit le docteur.

– J'adore le caviar, dit Mrs. Montgomery. J'en mangerais tous les jours.

– Et vous pourriez vous le permettre si vous consentiez à lâcher quelques-uns de vos deniers.
– Je ne suis pas aussi riche que cela.
– Pourquoi vous fatiguer à me mentir? Si vous ne l'étiez pas, vous ne seriez pas assise à cette table. Je n'invite que les gens très fortunés.
– Et Mr. Jones?
– Il est plutôt là à titre d'observateur, mais bien entendu, il se peut que sa qualité de gendre l'amène à nourrir de grandes espérances. Ces espérances sont aussi une forme de richesse. Je suis persuadé que Mr. Kips pourrait lui obtenir de substantiels crédits, et l'espoir n'est pas imposable – il n'aurait pas besoin de consulter M. Belmont. Albert, les bavettes. »
Ce fut seulement alors que je remarquai l'absence de serviettes à nos places. Mrs. Montgomery couina de ravissement lorsque Albert lui attacha une bavette autour du cou. « Des écrevisses! J'adore les écrevisses!
– Nous n'avons pas bu à la mémoire du regretté M. Groseli, fit le divisionnaire en ajustant sa bavette. Je ne peux pas dire que j'aie jamais éprouvé de la sympathie pour cet homme.
– Alors faites vite, pendant qu'Albert apporte votre dîner. A M. Groseli. Il n'a assisté qu'à deux de nos dîners avant de mourir d'un cancer, aussi n'ai-je pas eu le temps d'étudier son caractère. Si j'avais eu connaissance de sa maladie, je ne l'aurais jamais convié à se joindre à nous. J'attends de mes invités qu'ils me divertissent beaucoup plus longtemps. Ah! voici votre plat, je puis donc entamer le mien. »
Mrs. Montgomery poussa un cri aigu. « Mais c'est du porridge, du porridge froid!
– Un authentique porridge écossais. Cela devrait vous convenir, vous portez un nom écossais. » Le docteur Fischer se servit une louche de caviar et se versa un verre de vodka.
« Ça va nous couper l'appétit, fit observer Deane.
– Ne vous inquiétez pas pour cela. Il n'y a rien ensuite.
– Vous allez trop loin, docteur Fischer, dit

Mrs. Montgomery. Du porridge froid. Mais c'est absolument immangeable.

– Eh bien, ne le mangez pas. Ne le mangez pas, Mrs. Montgomery. Selon nos règles, vous n'y perdrez que votre petit cadeau. A vrai dire, c'est à l'intention de Jones que j'ai commandé du porridge. J'avais d'abord pensé à quelques perdreaux, mais comment se serait-il débrouillé avec une seule main ? »

Je constatai avec étonnement que le divisionnaire et Richard Deane étaient déjà en train de manger. Quant à Mr. Kips, du moins avait-il pris sa cuiller.

« Si nous pouvions avoir un peu de sucre, dit Belmont, ça nous faciliterait peut-être les choses.

– Je crois savoir que les Gallois – non, non, Jones, je me rappelle – les Ecossais, veux-je dire – tiennent pour une hérésie de gâter leur porridge avec du sucre. Je me suis laissé dire qu'ils allaient jusqu'à le saler. Rien ne vous interdit de les imiter. Albert, faites circuler le sel auprès de ces messieurs. Mrs. Montgomery a décidé qu'elle avait faim.

– Oh ! je ne vais pas gâcher votre petite plaisanterie, docteur Fischer. Donnez-moi du sel. Ça ne pourra guère être pire. »

A ma grande stupéfaction, il ne leur fallut qu'une minute ou deux pour se mettre à manger en silence et avec une lugubre application. Peut-être le porridge engluait-il leur langue. « Vous ne goûtez pas le vôtre, Jones ? me demanda le docteur en reprenant un peu de caviar.

– Je n'ai pas assez faim.

– Et vous n'êtes pas assez riche. Cela fait plusieurs années que j'étudie la cupidité des riches. " Car à tout homme qui a, l'on donnera " – ils prennent à la lettre cette parole cynique du Christ. " L'on donnera ", notez bien, et non " il gagnera ". Ces cadeaux que je leur offre après le dîner, ils pourraient facilement se les acheter eux-mêmes, mais alors ils les auraient gagnés, ne fût-ce qu'en signant un chèque. Les riches ont horreur de signer des chèques – d'où le succès des cartes de crédit. Une carte remplace cent chèques. Ils sont capables de n'importe quoi pour obtenir leurs cadeaux gratis.

L'épreuve de ce soir est une des plus pénibles auxquelles je les aie soumis, et voyez avec quel empressement ils avalent leur porridge froid, de manière à hâter l'heure des récompenses. Vous-même n'aurez rien, je le crains, si vous ne mangez pas.

– Ce qui m'attend chez moi a plus de valeur que votre cadeau.

– Comme c'est galamment tourné, dit le docteur. Mais ne soyez pas trop confiant. Les femmes n'attendent pas toujours. Je doute que l'idylle soit favorisée par une main amputée. Albert, Mr. Deane est prêt à se resservir.

– Oh! non, dit Mrs. Montgomery. Non pas ça.

– C'est pour le bien de Mr. Deane. Je désire l'engraisser afin qu'il puisse jouer Falstaff. »

Deane lui jeta un regard furieux, mais il accepta sa seconde portion de porridge.

« Je plaisante naturellement, reprit le docteur. Deane n'est pas plus capable de jouer Falstaff que Britt Ekland de jouer Cléopâtre. Deane n'est pas un acteur, c'est un objet sexuel. Les adolescentes lui vouent un culte, Jones. Comme elles seraient déçues si elles le voyaient sans ses vêtements. J'ai quelques raisons de penser qu'il souffre d'éjaculation précoce. Peut-être que le porridge ralentira votre rythme, mon pauvre Deane. Albert, une autre portion pour Mr. Kips, et je vois que Mrs. Montgomery a presque fini la sienne. Dépêchez-vous, divisionnaire, et vous aussi, Belmont. Pas de cadeaux avant que tout le monde ait terminé. » Il me faisait penser à un chasseur qui contrôle sa meute en faisant claquer son fouet.

« Regardez-les, Jones. Ils sont tellement pressés qu'ils en oublient de boire.

– Je ne crois pas que l'Yvorne convienne au porridge.

– Amusez-vous bien à leurs dépens, Jones. Ils ne le prendront pas en mauvaise part.

– Je ne les trouve pas drôles.

– Certes, je vous accorde qu'une soirée telle que celle-ci possède son côté sérieux, mais enfin... Est-ce qu'ils ne vous rappellent pas un peu des cochons dans leur auge ? On dirait presque que ça leur plaît. Mr. Kips a renversé du porridge sur sa chemise. Nettoyez-le, Albert.

— Je vous trouve révoltant, docteur Fischer. »

Il tourna vers moi ses yeux pareils aux éclats polis d'une pierre bleu pâle. Quelques perles de caviar grises s'étaient logées dans sa moustache rousse.

« Oui, je comprends votre sentiment. Il m'arrive d'ailleurs de le partager, mais ma recherche doit être menée à son terme. Ce n'est pas maintenant que je vais abandonner. Bravo, divisionnaire. Vous allez les rattraper. Deane, mon garçon, vous êtes un fortiche de la cuiller. Dommage que vos admiratrices ne puissent pas vous voir en train de bâfrer.

— Pourquoi faites-vous ça ? demandai-je.

— Pourquoi vous le dirais-je ? Vous ne faites pas partie des nôtres. Vous n'en ferez jamais partie. N'espérez rien de moi.

— Je m'en garde bien.

— Je vois que vous avez la fierté des pauvres. Après tout, pourquoi ne pas vous répondre ? Vous êtes pour moi une *sorte* de fils. Jones, je veux découvrir s'il existe une limite à la cupidité de nos riches amis. Si je vais me heurter à un « maintenant, la mesure est comble ». Si le jour viendra où ils refuseront de gagner leurs cadeaux. En tout cas, ce n'est pas la fierté qui marque cette limite. Cela, vous avez pu vous en rendre compte ce soir. Tel Herr Krupp, Mr. Kips se serait assis avec empressement à la table d'Hitler dans l'attente de quelques faveurs, et ce, quoi qu'on lui eût offert. Le divisionnaire a renversé du porridge sur sa bavette, Albert. Donnez-lui en une propre. Je crois que cette soirée marquera la fin d'une de mes expériences. Je joue déjà avec une autre idée.

— Vous êtes riche vous-même. Y a-t-il une limite à *votre* cupidité ?

— Peut-être le découvrirai-je un jour. Mais ma cupidité est d'un autre ordre. Je ne convoite pas des babioles, Jones.

— Au moins, les babioles ne font de mal à personne.

— J'aime à penser que ma cupidité se rapproche plutôt de celle de Dieu.

– Dieu est-il cupide ?

– N'allez-pas vous imaginer un seul instant que je crois en lui, pas plus que je ne crois au diable, mais j'ai toujours vu dans la théologie un divertissant jeu de l'esprit. Albert, Mrs. Montgomery a fini son porridge. Vous pouvez prendre son assiette. Qu'est-ce que je disais ?

– Dieu est cupide.

– Eh bien, les croyants et les âmes sensibles le disent avide de notre amour. Si j'en juge par le monde qu'il est censé avoir créé, j'incline plutôt à le croire avide de nous humilier, et cette soif-là, comment pourrait-il jamais l'étancher ? C'est un gouffre sans fond. Le monde devient de plus en plus pitoyable, tandis que lui, il continue de tourner la vis sans fin, en prenant soin de nous faire quelques cadeaux – car un suicide universel déjouerait ses plans – afin d'alléger les humiliations qu'il nous fait endurer. Cancer du rectum, rhume de cerveau, incontinence. Prenons un exemple : vous êtes pauvre, alors il vous envoie une petite consolation, ma fille, afin que vous vous estimiez un peu plus longtemps content de votre sort.

– Elle m'est une grande consolation. Si c'est Dieu qui me l'a offerte, je lui suis reconnaissant.

– Qui vous dit que le collier de Mrs. Montgomery ne se révélera pas plus durable que votre prétendu amour ?

– Pourquoi Dieu voudrait-il nous humilier ?

– N'est-ce point mon désir, d'humilier ? Et on dit qu'il nous a créés à son image. Peut-être est-il parvenu à la conclusion qu'il était un mauvais artisan, peut-être est-il déçu du résultat de son travail. Un article défectueux, on le jette à la poubelle. Regardez-les un peu, Jones, et riez. Etes-vous dépourvu d'humour ? Toutes les assiettes sont vides sauf celle de Mr. Kips, et voyez comme ils s'impatientent. Ma parole, Belmont est même en train de finir la portion de Kips. Je ne suis pas très sûr que ce soit dans les règles, mais je ne dirai rien. Souffrez que j'achève mon caviar, mes amis. Albert, vous pouvez ôter leurs bavettes. »

10

« C'ÉTAIT révoltant, dis-je à Anna-Luise. Je crois que ton père est fou.

– S'il l'était, ce serait bien moins révoltant.

– Tu aurais dû les voir se bousculer pour prendre ses cadeaux – tous, à l'exception de Mr. Kips : il a d'abord dû aller vomir dans les toilettes. Le porridge froid ne lui avait pas réussi. Je dois reconnaître qu'à côté des Crapauds, ton père a su garder une espèce de dignité – une dignité satanique. Ils m'en voulaient tous horriblement parce que je n'avais pas joué le jeu. Je m'étais comporté comme un public hostile. Je leur ai tendu un miroir, si tu veux, et ils ont pu juger de leur propre conduite. Mrs. Montgomery était d'avis qu'on aurait dû me chasser de table dès que j'ai eu refusé d'avaler le porridge. « N'importe lequel d'entre vous « pouvait l'imiter », a dit ton père. « Dans ce cas, qu'au- « riez-vous fait des cadeaux ? » a-t-elle répondu. « Peut- « être aurais-je doublé les mises la fois suivante. »

– Les mises ? Que voulait-il dire par là ?

– Je suppose qu'il faisait allusion à son pari : la cupidité contre l'humiliation.

– Quelles étaient donc les récompenses ?

– Mrs. Montgomery a eu une belle émeraude sertie dans du platine et rehaussée d'une couronne de diamants, autant que j'ai pu voir.

– Et les hommes ?

– Des montres en or à dix-huit carats – des montres à quartz avec microprocesseurs et tout le toutim.

Sauf pour ce pauvre Richard Deane. Il a eu droit à cette photo de lui dans un cadre de peau de porc, celle que j'avais vue dans la boutique. « Il vous suffit de la signer, a dit le docteur, pour avoir toutes les adolescentes que vous voudrez. » Il est sorti au comble de la fureur et je l'ai suivi. Il a dit qu'il ne reviendrait jamais : « Je n'ai pas besoin d'une photo pour avoir les filles que je désire », et il est monté dans sa Mercedes sport.

– Il reviendra. Cette voiture était aussi un cadeau. Mais toi – toi, tu n'y retourneras pas, hein?

– Non.

– Promis?

– Promis. »

Mais la mort, comme je pus le constater par la suite, annule les promesses. Les promesses, on les fait aux vivants, or la personne morte n'est plus celle qu'on a vue vivre. L'amour même change de caractère. Il cesse de signifier le bonheur et se transforme en un sens de la perte qu'on ne peut endurer.

« Et tu n'as pas ri de les voir?

– Il n'y avait pas de quoi rire.

– Voilà qui a dû le décevoir. »

Nous ne reçûmes pas d'autre invitation. Il nous laissa en paix – et quelle paix fut la nôtre, en ce début d'hiver : profonde comme les premières neiges et presque aussi feutrée. La neige se mit à tomber tandis que je travaillais (cette année-là, ce fut avant la fin de novembre). Je traduisais des lettres venues d'Espagne ou d'Amérique latine, et le silence de la neige qui se déposait devant le grand immeuble de verre teinté était pareil à celui, heureux, qui s'établissait entre nous à la maison – j'avais l'impression qu'elle me tenait compagnie de l'autre côté de mon bureau, telle que je la retrouvais en fin de soirée autour d'une autre table, lorsque nous faisions une dernière partie de gin-rummy avant d'aller nous coucher.

11

Début décembre, je l'emmenai aux Diablerets faire quelques heures de ski pendant le week-end. Trop vieux pour apprendre, je m'attablais dans un café et lisais le *Journal de Genève.* Il me suffisait de la savoir heureuse, lancée sur ces pentes d'une blancheur polaire où elle traçait des courbes à la manière d'une hirondelle. Les hôtels avaient commencé de s'ouvrir à la neige, telles les fleurs à un printemps précoce. La saison de Noël s'annonçait magnifique. J'aimais la voir entrer dans le café, puis venir vers moi, les chaussures couvertes de neige et les joues illuminées par le froid comme par des chandelles.

« Je n'ai jamais été aussi heureux, lui avouai-je un jour.

– Pourquoi dis-tu cela ? Tu as été marié. Tu étais heureux avec Mary.

– Je l'aimais. Mais je ne me suis jamais senti en sécurité. Nous avions le même âge au moment de notre mariage et j'ai toujours eu peur qu'elle meure la première. En fin de compte, c'est ce qui est arrivé. Toi, je t'ai pour la vie – à moins que tu ne me quittes, et si tu le fais, ce sera par ma faute.

– Et moi, alors ? Il faut que tu vives assez longtemps pour que nous puissions partir ensemble – quel que soit le terme du voyage.

– J'essaierai.

– A la même heure ?

– A la même heure. » Je me mis à rire et elle fit de

même. Pour elle comme pour moi, la mort n'était pas un sujet sérieux. Nous resterions ensemble à tout jamais – le jour le plus long, avions-nous coutume de dire.

Bien qu'il ne nous eût plus donné signe de vie, le docteur Fischer devait être resté présent dans quelque recoin de la caverne de mon inconscient, car une nuit, je rêvai de lui avec une netteté particulière. Vêtu d'un costume sombre, il se tenait près d'une tombe ouverte. Je l'observais depuis l'autre côté du trou. Je l'interpellai d'un ton railleur : « Qui enterrez-vous docteur? Est-ce un coup de votre Bouquet Dentophile? » Il leva les yeux vers moi. Il pleurait et ses larmes contenaient un profond reproche. Je poussai un cri qui nous réveilla, Anna-Luise et moi.

C'est étrange la manière dont un rêve peut vous poursuivre au long d'une journée. Le docteur Fischer m'accompagna à mon travail : il emplit mes instants d'inaction entre deux traductions, et c'était toujours le triste docteur Fischer que j'avais vu présider cette soirée de fous, celui qui ridiculisait ses hôtes et les poussait à dévoiler la honteuse étendue de leur cupidité.

Ce soir-là, je dis à Anna-Luise : « Ne crois-tu pas que tu as été trop dure avec ton père?

– Comment cela!

– Il doit se sentir très seul dans cette grande maison au bord du lac.

– Il a ses amis. Tu les as rencontrés.

– Ils ne sont pas ses amis.

– C'est lui qui les a rendus tels qu'ils sont. »

Puis je parlai de mon rêve. Elle se contenta de dire : « Peut-être était-ce la tombe de ma mère.

– Il se trouvait là?

– Oh! oui, mais je ne l'ai pas vu pleurer.

– La tombe était ouverte. Dans mon rêve, il n'y avait pas de cercueil, pas de prêtre, et lui seul pour pleurer le défunt – à moins de m'inclure également.

– Il y avait beaucoup de monde à son enterrement. Ma mère était très aimée. Tous les domestiques y assistaient.

– Même Albert?

– Albert n'existait pas en ce temps-là. Il y avait un

vieux majordome – son nom m'échappe. Il est parti après le décès de ma mère, et tous les serviteurs ont fait de même. Mon père a recommencé à vivre en s'entourant d'un tas de nouvelles têtes. Ne parlons plus de ton rêve, je t'en prie. C'est comme quand on remarque un fil de laine qui se détache d'un pull-over : on tire, et on commence à défaire tout le vêtement. »

Elle avait raison : tout se passait comme si mon rêve avait déclenché un véritable processus d'effilochage. Peut-être avions-nous été un peu trop heureux. Peut-être notre fuite nous avait-elle menés un peu trop loin, dans un pays où nous seuls existions. Le lendemain était un samedi, jour de repos pour moi. Anna-Luise cherchait à se procurer une cassette (elle avait hérité de sa mère l'amour de la musique). Nous sommes allés dans un magasin du vieux quartier de Vevey, près du marché. Elle voulait un nouvel enregistrement de la *Symphonie Jupiter,* de Mozart.

Un petit homme assez âgé émergea de l'arrière-boutique et vint s'occuper de nous. (Je ne sais pourquoi je le qualifie d'« assez âgé », car il ne devait pas être beaucoup plus vieux que moi.) J'étais en train d'examiner distraitement le coffret d'une vedette française de la télévision lorsqu'il s'approcha pour me demander s'il pouvait m'être utile. Peut-être me donna-t-il l'impression d'être vieux à cause de son allure humble – l'allure d'un homme qui n'attend plus rien de la vie, à l'exception d'une petite commission sur ses ventes. Je doute qu'il se fût trouvé dans cette boutique quelqu'un d'autre pour avoir entendu parler de la *Symphonie Jupiter*. La musique pop constituait l'essentiel du stock.

« Ah! la quarante et unième dit-il. Par l'orchestre symphonique de Vienne. Une excellente interprétation, mais je serais étonné que nous l'ayons en réserve. Je crains qu'il n'y ait guère de demande, ajouta-t-il en souriant timidement, pour ce que j'appelle la vraie musique. Si cela ne vous fait rien d'attendre, je vais aller voir au sous-sol. » Il jeta un coup d'œil par-dessus mon épaule, en direction d'Anna-Luise (qui nous tournait le dos) et ajouta : « Pendant que j'y suis, peut-être qu'une autre symphonie de Mozart... ? »

Anna-Luise dut l'entendre car elle se retourna. « Si vous avez *La Messe du Couronnement* », dit-elle, puis elle s'arrêta net, car l'homme la dévisageait avec une expression qui ressemblait fort, selon moi, à de la terreur. « *La Messe du Couronnement,* répéta-t-il.

– Montrez-moi simplement les symphonies de Mozart que vous avez en stock.

– Mozart, dit-il encore, mais il ne faisait pas mine de partir.

– Oui, Mozart », dit Anna-Luise d'une voix impatiente avant de se diriger vers des cassettes exposées sur un tourniquet. L'homme la suivit des yeux.

« De la musique pop, dit Anna-Luise en faisant tourner le présentoir du bout d'un doigt, rien que de la musique pop. » Mes yeux revinrent vers le vendeur.

« Je m'excuse, monsieur, j'y vais tout de suite. » Il gagna lentement la porte au fond du magasin, mais s'arrêta sur le seuil et se retourna pour nous regarder, Anna-Luise d'abord, puis moi. « Je vous promets... je ferai de mon mieux... » Cela ressemblait à un appel à l'aide – on aurait dit qu'il s'apprêtait à affronter quelque chose de terrible dans les profondeurs.

J'allai vers lui et demandai : « Vous sentez-vous bien ?

– Oui, oui. Ce n'est rien qu'un petit ennui cardiaque.

– Vous ne devriez pas être en train de travailler. Je vais dire à un autre vendeur...

– Non, non, monsieur. Je vous en prie. Mais si je puis me permettre de vous poser une question ?

– Naturellement.

– Cette dame qui vous accompagne...

– Ma femme ?

– Oh ! c'est votre femme... elle me rappelait tellement – je dois vous paraître ridicule et impertinent –, elle me rappelait tellement une dame que j'ai connue. Bien sûr, il y a des années de cela, et elle serait âgée aujourd'hui... presque aussi âgée que moi, alors que la jeune dame, votre femme... »

Soudain, je compris qui était cet homme qui s'accrochait d'une main au chambranle de la porte : vieux, effacé, vidé de toute énergie – mais il n'avait jamais eu la force de combattre. « C'est la fille du docteur Fischer, dis-je. Le docteur Fischer de Genève. » Ses jambes ployèrent lentement sous lui, comme s'il s'agenouillait pour prier, puis sa tête heurta le sol.

Une jeune fille, qui montrait un téléviseur à un autre client, accourut pour m'aider. Je m'efforçais de retourner le vendeur, mais le corps le plus frêle devient pesant dès qu'il est inerte. Ensemble, nous parvînmes à le mettre sur le dos et la fille défit son col de chemise. « Pauvre monsieur Steiner, dit-elle.

– Que se passe-t-il ? demanda Anna-Luise en s'écartant du présentoir.

– Crise cardiaque.

– Oh ! le malheureux.

– Il vaudrait mieux appeler une ambulance », dis-je à la fille.

Mr. Steiner ouvrit les yeux. Trois visages étaient penchés au-dessus de lui, mais il n'en vit qu'un, secoua doucement la tête et sourit. « Qu'est-il donc arrivé, Anna ? » L'ambulance arriva quelques minutes plus tard et nous suivîmes la civière hors du magasin.

Dans la voiture, Anna-Luise remarqua : « Il m'a parlé. Il connaissait mon nom.

– Il a dit Anna, pas Anna-Luise. Il connaissait le nom de ta mère. »

Elle demeura silencieuse, mais elle savait aussi bien que moi ce que cela signifiait. Au déjeuner, elle m'interrogea : « Quel est son nom ?

– La fille l'a appelé Steiner.

– Je n'en ai jamais rien su. Ma mère parlait simplement de " lui ". »

A la fin du déjeuner, elle me dit : « Tu iras le voir à l'hôpital et t'assurer qu'il va bien ? Je ne peux pas y aller moi-même. Ça ne ferait que provoquer un nouveau choc. »

Je le découvris à l'hôpital au-dessus de Vevey, où le patient et le visiteur anxieux sont accueillis par une pancarte qui leur indique la direction du Centre Funéraire. Plus haut, sur la colline, l'autoroute ne cesse de jouer une symphonie de béton. Steiner partageait sa chambre avec un vieux barbu qui restait allongé, les yeux grands ouverts, à regarder fixement le plafond – je l'aurais cru mort si de temps à autre il n'avait cligné ses paupières, tout en gardant les yeux rivés à son ciel de plâtre blanc.

« C'est gentil de vous inquiéter de moi, dit Mr. Steiner. Vous n'auriez pas dû vous donner cette peine. On me laisse sortir demain, à condition que je me ménage.

– Vous allez prendre un congé?

– Inutile. Je n'ai pas à soulever de poids dans mon travail. Les filles s'occupent des téléviseurs.

– Ce n'est pas une question de poids qui a provoqué votre malaise. » Je regardai le vieux, qui n'avait pas bougé depuis mon entrée.

« Ne vous occupez pas de lui, dit Mr. Steiner. Il ne parle pas et n'entend rien de ce qu'on lui dit. Je me demande parfois à quoi il pense. Peut-être au long voyage qui l'attend.

– Dans le magasin, j'ai craint un moment que vous n'ayez embarqué pour ce même voyage.

– Ma chance ne va pas jusque-là. »

En lui, visiblement, nulle force consciente ne s'était opposée à la mort. « Elle est tout le portrait de sa mère au même âge, dit-il.

– C'est cela qui vous a donné un choc?

– J'ai d'abord cru que c'était mon imagination. Pendant des années après sa mort, j'ai guetté des ressemblances sur les visages des autres femmes. J'ai fini par abandonner. Mais ce matin, vous avez utilisé son nom à *lui*. Il est toujours vivant, je suppose. S'il était mort, je l'aurais appris par les journaux. En Suisse, tout millionnaire a droit à sa notice nécrologique. Vous devez le connaître, puisque vous avez épousé sa fille.

– Je ne l'ai rencontré que deux fois et c'est suffisant.

– Vous n'êtes pas son ami?

– Non.

– C'est un homme implacable. Il ne me connaît même pas de vue, mais il a gâché ma vie. Il l'a pratiquement tuée, alors qu'elle n'était nullement fautive. Je l'aimais sans être payé de retour. Il n'avait aucune raison de s'inquiéter. La chose ne se serait jamais reproduite. » Mr. Steiner jeta un bref coup d'œil vers son voisin de chambre puis poursuivit, rassuré : « Elle, c'est la musique qu'elle aimait. Particulièrement

Mozart. J'ai un disque de la *Symphonie Jupiter* à la maison. Je voudrais l'offrir à votre femme. Vous pourriez lui dire que je l'ai trouvé dans la réserve.

– Nous n'avons pas de tourne-disque – seulement un lecteur de cassette.

– L'enregistrement a été réalisé avant l'époque des cassettes », dit-il sur le ton qu'on adopterait pour parler des jours qui précédèrent « l'ère de l'automobile ».

« Que voulez-vous dire : « La chose ne se serait jamais reproduite ?

– C'était ma faute – et celle de Mozart... et il faut aussi tenir compte de sa solitude. De cela, elle n'était pas responsable. » Il ajouta, avec un soupçon de colère (peut-être, songeai-je, qu'il aurait appris à lutter si on lui avait laissé le temps) : « Il est possible qu'à présent, il sache, lui aussi, ce qu'est la solitude.

– Ainsi, vous avez bel et bien été amants. D'après le récit d'Anna-Luise, je ne pensais pas que vous étiez allés jusque-là.

– Amants, non. Vous ne devez pas employer ce mot – pas au pluriel. Le lendemain, elle m'a parlé au téléphone, pendant qu'il se trouvait à son bureau. D'un commun accord, nous avons décrété que ce n'était pas juste – je veux dire, pas juste pour elle de s'emmêler dans un tas de mensonges. Elle ne pouvait rien en attendre de bon pour l'avenir. Et d'avenir, la suite a montré qu'il ne lui en restait guère.

– Selon ma femme, elle s'est véritablement laissée mourir.

– Oui. Ma volonté à moi n'a pas été assez forte. N'est-ce pas étrange ? Elle ne m'aimait pas, mais elle a eu la force de mourir. Moi qui l'aimais, je n'ai pas eu cette force. J'ai pu me rendre au cimetière, car il ne me connaissait pas de vue.

– Ainsi, il y aura eu quelqu'un pour la pleurer – en plus d'Anna-Luise et des domestiques.

– Que voulez-vous dire ? Il a pleuré aussi. Je l'ai vu.

– Anna-Luise dit que non.

– Elle se trompe. Elle n'était qu'une enfant, sans doute n'y a-t-elle pas prêté attention. De toute façon, c'est sans importance. »

Qui avait raison ? Je revis le docteur Fischer en train de fouetter sa meute, lors de la soirée. Je l'imaginais fort mal les larmes aux yeux; d'ailleurs, qu'est-ce que cela pouvait faire ? « Vous savez que vous serez toujours le bienvenu, déclarai-je. Je veux dire que nous serions heureux de vous revoir, ma femme et moi. Pourquoi ne passeriez-vous pas prendre un verre, un de ces soirs ?

– Non. Je préfère m'abstenir. Je ne crois pas que je le supporterais. Elles se ressemblent tellement, comprenez-vous ? »

Il ne restait rien à ajouter. Je ne pensais pas le revoir. Je le supposai rétabli cette fois, bien que son décès n'aurait pas eu les honneurs de la presse. Il n'était pas millionnaire.

Je rapportai ses propos à Anna-Luise. « Je plains ma mère, dit-elle. Mais il ne s'agissait que d'un petit mensonge. Si la chose ne s'est produite qu'une fois.

– Je me demande par quel moyen *lui*, il l'a su. » Etrange, comme nous évitions d'employer les noms propres. C'était généralement « lui » ou « elle », mais nous nous comprenions parfaitement. Peut-être cela fait-il partie des liens télépathiques qui se créent entre les amants.

– Elle m'a confié que lorsqu'il a commencé à avoir des soupçons – dénués de tout fondement –, il a fait équiper son téléphone de manière à pouvoir enregistrer les appels. C'est lui-même qui l'a dit à ma mère; aussi, quand cette conversation a eu lieu, il en a sûrement eu connaissance. D'ailleurs, ça ne m'étonnerait pas qu'elle ait tout avoué spontanément – et qu'elle lui ai dit que cela n'arriverait plus. Peut-être m'a-t-elle menti parce que j'étais trop jeune pour comprendre. A cette époque, je n'aurais guère fait la différence entre écouter Mozart en se tenant la main et coucher ensemble – pas plus qu'il ne la faisait lui – je veux parler de mon père.

– Je me demande s'il a vraiment pleuré à son enterrement.

– Je ne le crois pas – à moins qu'il n'ait pleuré parce que sa victime disparaissait. Ou peut-être était-ce le rhume des foins. Elle est morte pendant la saison du rhume des foins. »

12

AVEC la venue de Noël, le paysage se couvrit de neige jusqu'au bord du lac – ce fut un des Noëls les plus froids depuis de nombreuses années; chiens, enfants et skieurs étaient à la fête; malheureusement, je n'appartiens à aucune de ces catégories. Mon bureau était très bien chauffé, mais la vue du jardin, que le verre des vitres anti-éblouissantes teintait de bleu, suffisait à me glacer. Je me sentais trop vieux pour mon travail – s'occuper de chocolats, encore et toujours de chocolats, au lait ou à croquer, aux amandes ou aux noisettes, cela semblait convenir davantage à un garçon ou à une fille plus jeune.

Un jour, j'eus la surprise de voir un de mes chefs entrer dans mon bureau en compagnie de Mr. Kips. On aurait cru voir un dessin animé devenir réalité; Mr. Kips s'avançait presque cassé en deux et la main tendue, mais son geste évoquait moins une salutation que la quête de son fameux dollar. Mon collègue usa pour s'adresser à moi d'un ton respectueux auquel je n'étais guère accoutumé : « Je crois que vous avez déjà rencontré Mr. Kips.

– Oui, dis-je. Nous nous sommes vus chez le docteur Fischer.

– Je ne savais pas que vous connaissiez le docteur Fischer.

– Mr. Jones a épousé sa fille », fit Mr. Kips.

Il me sembla déceler de la peur sur le visage de mon chef. Jusque-là, je n'étais pas assez important pour qu'il m'eût remarqué; or, tout à coup, je représentais un danger : le gendre du docteur Fischer n'allait-il pas, avec un tel appui, se faire une place au conseil d'administration ?

Je ne pus m'empêcher de le retourner un peu sur le gril, ce qui n'était pas très avisé de ma part. « Le Bouquet Dentophile, dis-je, tente de réparer les dommages que nous, employés de cette compagnie, causons à la denture de nos comtemporains. » Une remarque aussi téméraire pourrait être considérée comme une félonie. Une grande entreprise ressemble à un service secret : plus que leur honnêteté, on y exige la fidélité des employés.

« Mr. Kips, dit mon supérieur, est un ami de notre administrateur délégué. Ce dernier a suggéré que vous aidiez Mr. Kips à résoudre un petit problème de traduction.

– Il s'agit d'une lettre que je désire faire parvenir à Ankara, dit Mr. Kips. Je veux joindre un exemplaire rédigé en turc afin de prévenir toute erreur d'interprétation.

– Je vous laisse », annonça mon chef. Lorsqu'il eut refermé la porte, Mr. Kips ajouta : « Bien entendu, tout ceci est confidentiel.

– Je m'en doute. »

Je l'avais compris dès le premier coup d'œil. La lettre contenait des références à Prague et à Škoda, et chacun sait que Skoda est synonyme d'armement. Les relations d'affaires les plus étranges se nouent en Suisse : le petit Etat, neutre et inoffensif, voit se dérouler grand nombre d'opérations de blanchissage, politiques autant que financières. Visiblement, les termes techniques qu'il me fallait traduire avaient tous trait à des questions d'armement. (Pendant un bref moment, je me retrouvai bien loin de l'univers des chocolats.) Il semble qu'une firme américaine répondant aux initiales I.C.F.C. achetait des armes à la Tchécoslovaquie pour le compte d'une compagnie turque. La destination finale de ces achats – il s'agissait uniquement d'armes portatives – était loin d'être claire. Un nom aux consonances palestiniennes ou iraniennes était plus ou moins impliqué.

Par manque de pratique (nous ne traitons guère avec la patrie du loukoum), je possédais moins bien le turc que l'espagnol. Il me fallut assez longtemps pour traduire la lettre. « Je vais faire taper un exemplaire au propre, dis-je à Mr. Kips.

– Je préférerais que vous le fassiez vous-même.

– La secrétaire ne comprend pas le turc.

– Malgré tout... »

Lorsque j'eus achevé la frappe, Mr. Kips dit : « Je sais que vous avez accompli ce travail pendant vos heures de bureau, mais si un petit cadeau pouvait néanmoins... ?

– Ce n'est nullement nécessaire.

– Pourrais-je me permettre d'envoyer une boîte de chocolats à votre épouse ? Des chocolats à la liqueur, peut-être ?

– Figurez-vous, Mr. Kips, que dans cette entreprise, nous ne sommes jamais à court de chocolats. »

Toujours cassé en deux, Mr. Kips pointait son nez en direction de mon bureau, comme s'il comptait user de son flair pour trouver l'insaisissable dollar. Il plia la lettre et l'original, puis les fourra dans sa serviette. « Lors de notre prochaine rencontre chez le docteur Fischer, il va de soi que vous ne mentionnerez pas... cette affaire est des plus confidentielles.

– Je ne crois pas que nous aurons l'occasion de nous revoir chez le docteur.

– Mais pourquoi donc ? C'est généralement à cette période de l'année, si le temps le permet et malgré la neige, qu'il donne sa plus somptueuse soirée. Je pense que nous n'allons pas tarder à recevoir nos invitations.

– J'ai assisté à une soirée et cela me suffit amplement.

– Je dois reconnaître que le dernier dîner fut, disons, un peu rude. Néanmoins, ses amis conserveront désormais le souvenir de la Soirée du Porridge. La Soirée du Homard était nettement plus divertissante. Mais avec le docteur Fischer, on ne sait jamais à quoi s'attendre. Il y a eu la Soirée des Cailles, qui avait plutôt indisposé Mme Faverjon... » Il soupira. « Elle aimait beaucoup les oiseaux. On ne peut pas satisfaire tout le monde.

— Ses cadeaux y parviennent pourtant, j'imagine — à satisfaire tout le monde, je veux dire.

— Il est très, très généreux. »

Mr. Kips amorça son mouvement d'épingle double en direction de la porte : il semblait que son itinéraire fût tout tracé sur la carte constituée par la moquette grise. Je l'interpellai : « J'ai rencontré un de vos anciens employés. Il travaille chez un disquaire; il s'appelle Steiner.

— Ce nom ne me dit rien », fit-il sans s'arrêter; puis il s'éloigna en continuant de suivre ses signes de piste sur la moquette.

Cette nuit-là, je racontai notre entrevue à Anna-Luise. « Impossible de leur échapper, fut son commentaire. D'abord, Steiner, et maintenant Mr. Kips.

— L'affaire qui intéressait Mr. Kips n'avait aucun rapport avec ton père. En fait, il m'a demandé de ne pas lui en souffler mot si je le rencontrais.

— Et tu le lui as promis ?

— Naturellement. Je n'ai aucune intention de revoir ton père.

— Seulement, à présent, ils t'ont lié à lui par un secret, pas vrai ? Ils ne vont pas te lâcher. Ils veulent que tu deviennes l'un des leurs. Autrement, ils ne se sentiront pas à l'abri.

— A l'abri de quoi ?

— Du ricanement d'un homme étranger au club.

— La peur d'être un objet de ridicule n'a pas l'air de beaucoup les gêner.

— Je sais. La cupidité l'emporte à tous les coups.

— Je me demande en quoi consistait la Soirée des Cailles, pour avoir à ce point indisposé Mme Faverjon.

— Ça a dû être quelque chose d'abominable. Tu peux en être sûr. »

Les chutes de neige continuèrent. Noël promettait d'être fort blanc. Il y eut même des congères sur l'autoroute. L'aéroport de Cointrin dut rester fermé vingt-quatre heures. Tout cela ne comptait pas pour nous. C'était le premier Noël que nous passions ensemble et nous l'avons fêté comme des enfants, avec tous les accessoires. Anna-Luise acheta un sapin au pied duquel nous disposâmes nos cadeaux, dans une débauche de papier d'emballage aux couleurs gaies et de rubans. J'avais l'impression d'être un père plutôt qu'un amant ou un mari. Cela ne m'inquiétait pas – les pères meurent les premiers.

La neige cessa de tomber à la veille de Noël. Nous nous rendîmes à la vieille abbaye de Saint-Maurice pour entendre la messe de minuit – et pour écouter, par la même occasion, l'histoire plus ancienne encore du décret personnel d'Auguste par lequel le monde entier fut recensé et soumis à l'impôt. Nous n'étions catholiques ni l'un ni l'autre, mais Noël représentait aux yeux de toute l'humanité la fête de l'enfant. Il était assez logique de retrouver Belmont dans l'assistance : seul, comme le jour de notre mariage, il écoutait attentivement l'énoncé du décret de l'empereur. Peut-être la Sainte Famille aurait-elle dû le consulter et s'arranger pour éviter le rencensement à Bethléem.

Il nous attendait à la sortie. Impossible de l'éviter : costume sombre, cravate sombre, cheveux sombres, corps maigre et lèvres minces, sourire emprunté. « Joyeux Noël », fit-il en clignant de l'œil, puis il me fourra une enveloppe entre les mains comme s'il s'était agi d'une feuille d'impôt. Il me suffit de la palper pour savoir qu'elle contenait une carte. « Je ne fais pas confiance à la poste en période de Noël », déclara Belmont. Il agita la main. « Voici Mrs. Montgomery. J'étais sûr qu'elle viendrait. C'est une adepte de l'œcuménisme. »

Un foulard bleu pâle couvrait les cheveux bleu pâle de Mrs. Montgomery. Je remarquai, au creux de sa gorge ridée, la nouvelle émeraude. « Ha ha, Monsieur Belmont et ses cartes, comme d'habitude. Et les jeunes mariés. Je vous souhaite à tous un très heureux Noël. Je n'ai pas aperçu le général à l'église. J'espère qu'il n'est pas souffrant. Ah ! le voici. » Il était bien là, notre divisionnaire : il se tenait dans l'encadrement du portail de l'église, tel un portrait de Croisé, raide comme un piquet (il souffrait d'un rhumatisme au dos et à la jambe), le nez conquérant et la moustache féroce – on pouvait difficilement croire qu'il n'eût jamais entendu tirer un coup de feu dans la fureur du combat. Il était également seul.

« Et Mr. Deane, s'exclama Mrs. Montgomery. Il est *sûrement* par ici. Il vient toujours, si aucun tournage ne le retient à l'étranger. »

Je mesurais à présent l'étendue de notre erreur : la messe de minuit à l'abbaye de Saint-Maurice est un événement aussi mondain qu'un cocktail. Nous ne nous en serions jamais tirés si au même instant, Richard Deane, le visage gonflé et congestionné par la boisson, n'avait surgi sous le porche de l'église. Nous n'eûmes que le temps de remarquer la jolie fille à son bras avant de prendre la fuite.

« Bon sang, fit Anna-Luise, une véritable congrégation de Crapauds.

— Nous ne pouvions pas savoir qu'ils se trouveraient là.

— Je ne crois pas à toutes ces histoires de Noël, mais au moins, je *voudrais* y croire — tandis que les Crapauds... Pourquoi diable y vont-ils ?

— Ça fait partie des traditions, comme notre sapin. L'année dernière, j'y suis allé seul. Sans raison. Je suppose qu'ils étaient tous là, mais à l'époque, je ne les connaissais pas — à l'époque : je parle comme si cela remontait à une éternité. Je ne savais même pas que tu existais. »

Au lit, cette nuit-là, dans le bref intervalle de bonheur entre l'amour et le sommeil, nous avons pu plaisanter à propos des Crapauds, comme s'ils formaient une sorte de chœur comique en contrepoint de notre histoire, qui seule avait de l'importance.

« Crois-tu que les Crapauds aient une âme ? demandai-je à Anna-Luise.

— Est-ce que tout le monde n'en a pas une — à condition de croire aux âmes ?

— Telle est la doctrine officielle, mais la mienne s'en écarte. Je crois que l'âme se développe à partir d'un embryon, comme le corps. L'embryon n'est pas encore un être humain, il lui reste quelque chose du poisson, et l'âme embryonnaire n'est pas encore une âme. Je doute que les enfants en bas âge possèdent plus d'« âme » que les chiens – peut-être est-ce pour cela que l'Eglise romaine a inventé les limbes.

– Et toi, tu as une âme?

– Ce n'est pas impossible – défraîchie, sans doute, mais elle est encore là. Si l'âme existe, il est certain que toi, tu en possèdes une.

– Pourquoi?

– Tu as souffert. Au nom de ta mère. Les enfants en bas âge et les chiens ignorent la souffrance, sauf lorsque son origine se trouve en eux-mêmes.

– Et Mrs. Montgomery?

– Une âme ne se teint pas les cheveux en bleu. Peux-tu seulement te la représenter en train de se demander si elle a une âme?

– M. Belmont?

– Il n'a pas eu le temps de laisser la sienne se développer. A chaque vote du budget, les Etats modifient leur législation fiscale; certaines combines deviennent impossibles, et Belmont doit trouver de nouveaux moyens de tourner la loi. L'âme ne peut croître que sur le terrain de la vie privée. Belmont n'a pas le temps de s'en offrir une.

– Et le divisionnaire?

– Dans son cas, je ne sais trop que penser. Il se pourrait bien qu'il ait une âme. Il y a dans son personnage quelque chose de malheureux.

– Est-ce toujours un signe?

– Je le crois.

– Mr. Kips?

– J'ai également des doutes à son sujet. Mr. Kips respire les espérances déçues. Il paraît chercher quelque chose qu'il aurait égaré. Peut-être est-il en quête de son âme, et non d'un dollar.

– Richard Deane.

– Non. Sans la moindre hésitation. Il n'a pas d'âme. Je me suis laissée dire qu'il détenait des copies de tous ses vieux films et qu'il se les projetait tous les soirs. Il ne prend même pas le temps de lire les livres dont il a été l'interprète à l'écran. Il est content de lui, chose impossible lorsqu'on possède une âme. »

Un long silence s'établit entre nous. Nous aurions dû

logiquement sombrer dans le sommeil, mais la conscience que l'autre ne dormait pas nous tenait tous deux éveillés, et une même pensée nous occupait. Ma petite plaisanterie avait pris un tour grave. Ce fut Anna-Luise qui se décida à poser la question à haute voix.

« Et mon père ?

— Il possède une âme, aucun doute là-dessus, dis-je, mais peut-être s'agit-il d'une âme maudite. »

13

J'IMAGINE que dans la vie de la plupart d'entre nous, il existe une journée qui s'inscrit dans la mémoire jusqu'au moindre détail, comme si on l'avait gravée dans la cire. Il en fut ainsi, pour moi, du dernier jour de cette année-là – un samedi. La veille au soir, nous avions décidé, s'il faisait assez beau pour qu'Anna-Luise pût skier, de prendre dès le matin la route des Paccots. Le vendredi avait vu l'amorce d'un réchauffement, mais il gela de nouveau au cours de la nuit. Nous comptions partir de bonne heure, avant que les pentes ne fussent envahies, et déjeuner sur place à l'hôtel. Je m'éveillai à sept heures et demie et téléphonai à la météo pour me renseigner sur les conditions. Pas de problème particulier, mais la prudence était conseillée. Je préparai des toasts, deux œufs coque, et offris à Anna-Luise un petit déjeuner au lit. « Pourquoi deux œufs ? demanda-t-elle.

– Parce que tu seras à demi morte de faim avant midi si tu dois te trouver là-bas pour l'ouverture du remonte-pente. » Elle enfila le nouveau pull-over que je lui avais offert à Noël : il était fait d'une grosse laine blanche, avec une large bande rouge à hauteur des épaules, et lui allait à merveille. Nous prîmes le départ à huit heures et demie. La route n'était pas mauvaise, mais, conformément aux prévisions de la météo, il y avait des plaques de verglas. Je dus m'arrêter à Châtel-Saint-Denis pour mettre des chaînes, et le remonte-pente fonctionnait déjà à notre arrivée. A Saint-Denis, une petite dispute nous opposa. Anna-Luise voulait faire un grand tour à partir du Corbetta et descendre à ski la piste noire depuis Le Pralet, mais elle finit par céder devant mon inquiétude et accepta de se limiter à la piste rouge, plus facile, qui descend vers La Cierne.

Je fus secrètement soulagé de voir qu'une file d'attente se formait déjà pour la montée aux Paccots. Cela me donnait un plus grand sentiment de sécurité. Je n'ai jamais été très chaud pour qu'Anna-Luise aille faire du ski sur une pente déserte. Cela rappelle un peu trop les baignades sur une plage où l'on est seul : on se prend forcément à craindre que les gens n'aient une bonne raison de bouder l'endroit – une pollution invisible, peut-être, ou la traîtrise d'un courant.

« Quel dommage, fit Anna-Luise. J'aurais voulu être la première. J'aime aborder une piste vide.

– La sécurité est dans le nombre. Rappelle-toi l'état de la route. Sois prudente.

– Je suis toujours prudente. »

J'attendis que son tour fût venu et la saluai de la main tandis que le téléski l'emportait vers les hauteurs. Je la suivis des yeux jusqu'à ce qu'elle eût disparu; il m'était facile de la repérer grâce à la bande rouge de son pull-over. Puis je gagnai l'hôtel Corbetta et ouvris le livre que j'avais apporté. Il s'agissait du *Havresac,* une anthologie de prose et de vers réunis par Herbert Read et publiée en 1939, peu de temps après le début de la guerre. C'était une édition de poche qu'on pouvait aisément glisser dans un paquetage de soldat. Quoique je n'eusse jamais été appelé sous les drapeaux, ce volume avait pris de la valeur à mes yeux au cours de la drôle de guerre. Il me permit de supporter les longues heures où j'attendais, à mon poste de pompier, ce blitz qui semblait ne jamais devoir frapper la capitale, tandis que mes camarades, masque à gaz sur la figure, disputaient leurs inévitables parties de fléchettes. J'ai jeté le livre depuis lors, mais certains des passages que je lus ce jour-là demeurent gravés dans la cire à la manière de cette nuit de 1940 où je perdis ma main. Je me rappelle très précisément ce que je lisais au moment où la sirène se déclencha : il s'agissait, non sans ironie, de l'*Ode sur une urne grecque*, de Keats :

« *Heard melodies are sweet, but those unheard*
Are sweeter...[1] »

Une sirène inouïe aurait certes été plus douce à mes oreilles. Je tentai d'achever la lecture de l'*Ode*, mais ne pus dépasser

« *And, little town, thy streets for ever more*
Will silent be...[2] »

avant de devoir quitter la sécurité relative de notre terrier. A deux heures du matin, ces vers me revinrent en mémoire comme quelque chose que j'aurais pu tirer des *Sortes Virgilianae*, car il régnait bel et bien un étrange silence dans les rues de la Cité – tout le bruit venait d'en haut : le crépitement des flammes, le chuintement de l'eau, les moteurs des bombardiers qui nous apostrophaient : « Où vous terrez-vous? Où vous terrez-vous? » Il s'établit au cœur de la destruction une sorte de calme, juste avant qu'une bombe qui n'avait pas encore explosé ne déchire soudain le silence de la rue en me privant d'une main.

Je me souviens... mais il n'est rien, jusqu'au terme de cette journée, que je puisse oublier... ainsi, je me souviens des mots un peu vifs que j'échangeai avec le garçon de l'hôtel Corbetta auquel je réclamais une table proche des fenêtres, de manière à pouvoir observer la route qu'Anna-Luise emprunterait depuis le bas de la piste à La Cierne. La table en question venait de se libérer, et le serveur ne voulait sans doute pas se donner la peine d'ôter la tasse et la soucoupe sales laissées par le client précédent. L'homme était hargneux et s'exprimait avec un accent étranger. Il s'agissait probablement d'un extra, car les serveurs suisses sont les plus aimables du monde, et je me rappelle avoir pensé que celui-là ne ferait pas long feu.

1. « Les mélodies qu'on entend sont douces; celles qu'on n'entend pas sont plus douces encore... »

2. « Modeste bourgade, tes rues, pour toujours, Connaîtront le silence. »

Le temps passait lentement en l'absence d'Anna-Luise. Au bout d'un moment, je n'eus plus envie de lire. A l'aide d'une pièce de deux francs, je persuadai le garçon de réserver la table jusqu'à mon retour; j'y ajoutai la promesse que l'heure venue, nous serions deux à déjeuner. Les voitures, dont les toits s'ornaient de paires de skis, arrivaient à présent en grand nombre, et une assez longue queue se constituait devant le remonte-pente. L'un des sauveteurs qui assurent la permanence à l'hôtel bavardait avec un ami dans la file d'attente. « Le dernier accident qu'on a eu date de lundi. Un gamin s'est fracturé la cheville. Ça nous tombe dessus à chaque congé scolaire. » Je me rendis à la petite boutique voisine de l'hôtel dans l'espoir de trouver un journal français, mais ils vendaient uniquement le quotidien de Lausanne, que j'avais déjà parcouru en prenant mon petit déjeuner. J'achetai une tablette de Toblerone en prévision de notre dessert, car je savais qu'en ce domaine, le restaurant ne proposerait que des glaces. Puis j'allai faire un tour et regardai les skieurs évoluer sur la piste bleue, celle qu'on réservait aux débutants; Anna-Luise, je le savais, devait se trouver beaucoup plus haut, hors de ma vue, parmi les arbres de la piste rouge. Elle était très bonne skieuse : ainsi que je l'ai déjà noté, elle avait eu sa mère pour premier professeur et son apprentissage avait commencé dès l'âge de quatre ans. Il soufflait un vent glacial, aussi regagnai-je ma table pour lire, non sans à-propos, le *Seafarer* d'Ezra Pound :

« *Hung with hard ice-flakes, where hail-scur flew,*
There I heard naught save the harsh sea
And ice-coldwave[1]... »

Ensuite, je me mis à feuilleter le volume au hasard et tombai sur les *33 moments de bonheur*, de Chin Shengt'an. Il me semble toujours déceler dans la sagesse de l'Orient une monstrueuse

1. « Enté d'éclats de glace, où volaient les grêlons. Là, je n'entendais plus que l'âpre mer. Et la glaciale vague... »

autosatisfaction : « D'une lame fine, trancher une pastèque verte et luisante sur un grand plat rouge, par un après-midi d'été. Ah! n'est-ce point le bonheur? » Certes, à condition d'être un philosophe chinois, vivant dans l'aisance et tenu en haute estime, en paix avec le monde et, surtout, à l'abri du risque – au contraire du philosophe chrétien, qui vit de doute et de danger. Bien que je ne partage pas la foi chrétienne, je préfère Pascal. « Qui ne sait que la vue de chats, de rats, l'écrasement d'un charbon, etc., emportent la raison hors de ses gonds? » De toute façon, me dis-je, je n'aime pas les pastèques. Je me plus néanmoins à ajouter un trente-quatrième moment de bonheur, tout aussi complaisant, à ceux de Chin Shengt'an « Rester au chaud dans un café suisse à observer les pentes blanches, en sachant que bientôt celle qu'on aime va entrer, les joues en feu et les chaussures couvertes de neige, vêtue d'un chaud pull-over à bande rouge. N'est-ce point le bonheur? »

J'ouvris de nouveau au hasard le *Havresac,* mais les *Sortes Virgilianae,* ça ne marche pas à tous les coups, et je me trouvai confronté aux *Derniers Jours du docteur Donne.* Je me demandai comment on avait pu penser que le soldat qui transportait ce texte dans son paquetage y trouverait appui ou réconfort et je fis une nouvelle tentative. Herbert Read avait reproduit un extrait d'une de ses propres œuvres : *Retraite de Saint-Quentin.* J'ai encore en tête la substance, sinon les mots exacts, du passage que je lisais au moment ou j'ai refermé le livre à jamais. « Je songeai, voici venu l'instant de la mort. Mais je n'éprouvai aucune émotion. Je me rappelai avoir lu jadis qu'un homme frappé au cours du combat ne ressent sa blessure que plus tard. » Je levai les yeux de ma page. Il se passait quelque chose près du téléski. Le sauveteur qui parlait tout à l'heure du gamin à la cheville fracturée aidait un autre homme à porter une civière, sur laquelle tous deux avaient placé leurs skis, en direction du remonte-pente. Poussé par la curiosité, j'interrompis ma lecture et sortis du café. Je dus laisser passer plusieurs voitures avant de pouvoir traverser la route et lorsque je parvins au téléski, les secouristes étaient déjà loin.

J'interrogeai quelqu'un dans la file d'attente. Personne ne semblait très intéressé par l'incident. « Ça doit être un gosse qui a ramassé une gamelle, fit remarquer un Anglais. Ça arrive tout le temps.

– A mon avis,.dit une femme, il s'agit d'un exercice d'alerte pour les sauveteurs. On leur téléphone d'en haut pour essayer de les prendre au dépourvu.

– C'est très intéressant à observer, fit un autre homme. Pour redescendre, ils doivent skier en portant la civière. Ça demande beaucoup d'adresse. »

Je regagnai l'hôtel afin de me mettre à l'abri du froid – j'y voyais tout aussi bien depuis la fenêtre, et d'ailleurs, je regardais surtout du côté du remonte-pente, car d'une minute à l'autre, Anna-Luise allait venir me rejoindre. En bon parcmètre, le serveur mal embouché me fit comprendre que mes deux francs de temps de stationnement étaient épuisés et me demanda si je désirais quelque chose. Je commandai encore un café. On s'agitait autour du téléski. Je laissai là mon café et traversai la route.

L'Anglais, que j'avais entendu suggérer l'hypothèse d'un gosse blessé, annonçait triomphalement à la ronde : « C'est un véritable accident. Je les ai entendus discuter dans le bureau. Ils téléphonaient pour faire venir une ambulance de Vevey. »

Tel le soldat de Saint-Quentin, je ne comprenais pas encore que j'avais été frappé. Je ne le compris pas davantage lorsque les sauveteurs qui arrivaient par la route de La Cierne déposèrent leur civière avec de grandes précautions, afin de ménager la femme qui y était étendue. La blessée portait un pull-over tout à fait différent de celui que j'avais offert à Anna-Luise – un pull-over rouge.

« C'est une femme, remarqua quelqu'un. La pauvre, elle a l'air mal en point. » Par réflexe, j'éprouvai le même sentiment de pitié passager que la personne qui venait de parler.

« Ça a l'air assez sérieux, nous annonça l'Anglais triomphant, qui était le plus proche de la civière. Elle a perdu beaucoup de sang. »

De l'endroit où je me trouvais, j'eus l'impression

qu'elle avait les cheveux blancs, puis je compris qu'on lui avait bandé la tête avant de la ramener en bas.

« Est-elle consciente? » demanda une femme. L'Anglais qui savait tout secoua la tête.

La curiosité décrut à mesure que les gens empruntaient le remonte-pente, et le petit groupe de badauds diminua. L'Anglais s'adressa en mauvais français à l'un des sauveteurs. « Ils pensent qu'elle est touchée au crâne », revint-il nous expliquer, tel un présentateur de télévision qui traduit des commentaires. Je voyais bien la civière, à présent. C'était Anna-Luise. Son pull-over n'était plus blanc à cause du sang.

J'écartai vivement l'Anglais qui me saisit le bras et dit : « Ne l'étouffez pas, mon vieux. Il faut qu'elle puisse respirer.

— C'est ma femme, espèce d'imbécile.

— Ah! bon? Je suis désolé. Ne le prenez pas comme ça, mon vieux. »

L'ambulance ne mit sans doute pas plus de quelques minutes à arriver, mais cela parut durer des heures. Je restai là à contempler son visage sans y déceler le moindre signe de vie. « Est-ce qu'elle est morte? » demandai-je. Je dus leur paraître un peu indifférent.

« Non, m'assura l'un des sauveteurs. Elle est simplement inconsciente. Elle a pris un coup à la tête.

— Comment est-ce arrivé?

— Autant qu'on puisse reconstituer les événements, un gamin a fait une chute, là-haut, et s'est foulé la cheville. Il n'avait pas à se trouver sur la piste rouge — il aurait dû être sur la piste bleue. Elle a surgi d'une crête, sans guère avoir le temps d'éviter le garçon. Elle s'en serait sans doute tirée si elle avait viré à droite, mais j'imagine que le moment était mal choisi pour réfléchir. Elle a viré à gauche en direction des arbres — vous connaissez la piste —, mais après un redoux, suivi d'un gel, la neige est dure et traîtresse; elle a heurté un arbre de plein fouet et à la vitesse maximale. Ne vous inquiétez pas. L'ambulance sera là d'une minute à l'autre. Ils s'occuperont bien d'elle à l'hôpital.

— Je reviens, dis-je. Il faut que je retourne payer mon café.

— Vraiment, mon vieux, je m'excuse, fit l'Anglais. Je n'ai pas un instant pensé...

— Par pitié, allez donc vous faire foutre. »

Le serveur était plus teigneux que jamais. « Vous avez réservé cette table pour le déjeuner. J'ai dû la refuser à des clients.

— En voilà un que vous ne reverrez jamais, de client », répondis-je en jetant une pièce de cinquante centimes qui rebondit sur la table et tomba par terre. Je m'arrêtai à la porte pour voir s'il allait ramasser ma pièce. Il le fit, et j'eus honte. Mais si la chose avait été en mon pouvoir, je me serais vengé sur le monde entier de ce qui venait de se passer — comme le docteur Fischer, songeai-je, exactement comme le docteur Fischer. J'entendis hurler la sirène de l'ambulance et retournai jusqu'au remonte-pente.

Dans l'ambulance, on m'installa à côté de la civière. J'abandonnai notre voiture sur place en me disant que je reviendrais la chercher un jour, lorsque Anna-Luise irait mieux; et pas un instant je ne cessai d'observer son visage, guettant le moment où elle allait sortir de ce coma et me reconnaître. Nous ne retournerons pas à ce restaurant, pensai-je, nous descendrons au meilleur hôtel du canton et nous prendrons du caviar, comme le docteur Fischer. Elle ne sera pas suffisamment rétablie pour faire du ski, et d'ailleurs, d'ici là, la saison aura probablement pris fin. Nous irons nous installer au soleil, et je lui raconterai combien j'ai eu peur. Je lui parlerai de ce con d'Anglais — je lui ai dit d'aller se faire foutre et il s'est exécuté —, ça la fera rire. Je contemplai encore une fois son visage impassible. Les yeux ouverts, elle aurait eu l'aspect d'un cadavre. Le coma ressemble à un profond sommeil. Je l'encourageai par la pensée : ne t'éveille pas, pas avant qu'ils ne t'aient droguée suffisamment pour que tu ne sentes pas la douleur.

Dans un hurlement de sirènes, l'ambulance dévala la colline et vint s'arrêter devant l'hôpital. J'aperçus cette même pancarte qui indiquait la direction du Centre funéraire, et que j'avais déjà vue des douzaines de fois, mais ce jour-là je réagis par une sourde colère, dirigée aussi contre la stupidité des responsables qui l'avaient placée là tout exprès pour que quelqu'un dans ma situation puisse la lire. Ça n'a aucun rapport avec Anna-Luise et moi, pensai-je, absolument aucun rapport.

Aujourd'hui, cette pancarte reste la seule chose dont j'aie lieu de me plaindre. Dès l'arrivée de l'ambulance, tout le monde fit preuve d'un grand sens de l'organisation. Deux médecins nous attendaient à l'entrée. Les Suisses *sont* très efficaces. Songez aux montres compliquées et aux instruments de précision qu'ils fabriquent. J'eus l'impression qu'Anna-Luise serait réparée avec la même habileté qu'une de leurs montres – une montre d'une valeur exceptionnelle, une montre à quartz, car elle était la fille du docteur Fischer. Ils apprirent ce détail lorsque je demandai à lui téléphoner.

« Au docteur Fischer ?

– Oui, à mon beau-père. »

Je pus juger à leur comportement que cette montre-ci comportait une garantie peu ordinaire. On l'emmenait déjà sur un chariot, et le docteur le plus âgé marchait à ses côtés. Je n'apercevais que les bandages blancs qui entouraient sa tête et m'avaient d'abord fait penser à une vieille femme.

Je demandai ce qu'il fallait dire à son père.

« Nous en saurons davantage après la radio.

– Vous pensez que ça peut être sérieux ? »

Le jeune docteur ne prit pas de risques. « Nous devons considérer tout traumatisme crânien comme potentiellement sérieux.

– Vaut-il mieux que j'attende les résultats de la radio pour téléphoner ?

– Dans la mesure où le docteur Fischer doit venir depuis Genève, vous avez peut-être intérêt à l'avertir dès à présent. »

Je ne compris pas ce que laissait sous-entendre ce conseil jusqu'au moment où je formai le numéro sur le cadran. Je ne reconnus pas tout de suite la voix d'Albert.

« Je veux parler au docteur Fischer, annonçai-je.

– Qui dois-je annoncer, monsieur ? » C'était l'Albert obséquieux, que je n'avais jamais entendu auparavant.

« Dites-lui que c'est de la part de Mr. Jones, son gendre. »

Aussitôt, je retrouvai la voix de mon Albert familier. « Mr. Jones, hein ? Le docteur est occupé.

– Ça m'est égal. Passez-le-moi.

– Il m'a dit qu'on ne devait le déranger sous aucun prétexte.

– C'est urgent. Faites ce que je vous dis.

– Ça pourrait me coûter ma place.

– Ça vous la coûtera sûrement si vous ne me passez pas le docteur. »

Il y eut un long silence, puis, de nouveau, la voix d'Albert, version arrogante et non plus obséquieuse. « Le docteur Fischer dit qu'il est trop occupé pour vous prendre maintenant. Il ne peut être interrompu. Il s'occupe d'organiser une réception.

– Il faut absolument que je lui parle.

– Il vous conseille de faire part de votre requête par écrit. »

Albert coupa la communication sans me laisser le temps de répondre.

Le jeune médecin, qui avait disparu pendant que j'étais au téléphone, resurgit au même instant et dit : « Je crains qu'une opération ne soit nécessaire, Mr. Jones, et de toute urgence. La salle d'attente est pleine de malades pour la consultation, mais il y a au deuxième étage une chambre libre où vous pourrez vous reposer sans être dérangé. Je viendrai vous voir dès que l'opération aura pris fin. »

Lorsqu'il m'ouvrit la porte, je reconnus – ou crus reconnaître – la chambre de Mr. Steiner, mais les chambres d'hôpital, comme les somnifères, se ressemblent toutes. La fenêtre était ouverte, et la rumeur de l'autoroute emplissait la pièce.

« Voulez-vous que je ferme la fenêtre ? » demanda le jeune médecin. A le voir aussi prévenant, on aurait cru que c'était moi le patient.

« Non, non, ce n'est pas la peine. Je préfère avoir de l'air. » On ne supporte le silence que lorsqu'on est heureux, ou lorsqu'on jouit de la paix de l'esprit.

« Contentez-vous d'appeler si vous avez besoin de

quoi que ce soit », dit-il en me montrant la sonnette placée à côté du lit. Il s'assura que le thermos d'eau glacée posé sur la table de nuit était plein. « Je serai vite de retour. Essayez de ne pas vous tourmenter. Nous avons déjà vu beaucoup de cas plus graves. »

Je m'installai dans le fauteuil mis à la disposition des visiteurs et regrettai que Mr. Steiner ne fût plus là, couché sur ce lit, pour me servir d'interlocuteur. Je me serais même contenté du vieil homme qui n'entendait rien et ne pouvait pas parler. Deux phrases prononcées par Mr. Steiner à propos de la mère d'Anna-Luise me revinrent en mémoire : « Pendant des années après sa mort, j'ai guetté des ressemblances sur les visages des autres femmes. J'ai fini par abandonner. » Ce « pendant des années » était vraiment horrible. Des années, songeai-je, des années... peut-on vraiment tenir aussi longtemps ? Régulièrement, au bout de quelques minutes, je consultais ma montre... deux minutes de passées, trois minutes; une fois j'eus de la chance et constatai que quatre minutes et demie s'étaient écoulées. Je m'interrogeai : vais-je continuer ainsi jusqu'à l'heure de ma mort ?

On frappa à la porte. Le jeune médecin entra, l'air gauche, embarrassé, et l'espace d'un instant, un espoir fou me traversa : ils ont fait une gaffe, et en fin de compte, la blessure n'était pas aussi grave que cela. « Je suis désolé, dit-il. Je crains que... » Et puis les mots se bousculèrent dans sa bouche. « Nous n'avions pas beaucoup d'espoir. Elle n'a pas souffert. Elle est morte pendant l'anesthésie.

– Morte ?

– Oui.

– Oh ! fut tout ce que je trouvai à dire.

– Voulez-vous la voir ?

– Non.

– Peut-on vous appeler un taxi ? Serez-vous disposé à revenir à l'hôpital demain ? Pour les questions d'état civil. Il faut signer certains papiers. Il y a toujours tellement de paperasse.

– J'aime autant en finir tout de suite. Si cela ne vous fait rien. »

14

J'ENVOYAI au docteur Fischer la lettre qu'il réclamait. J'y décrivais sans fioritures les circonstances de la mort de sa fille et je lui précisais la date et le lieu des obsèques. Ce n'était pas la saison du rhume des foins, aussi n'espérais-je point de larmes, mais je pensais qu'il ferait peut-être acte de présence. Il ne vint pas. Les seuls témoins de l'inhumation, en dehors de moi, furent le prêtre anglican et la femme qui venait deux fois par semaine faire le ménage chez nous. Je la fis ensevelir au cimetière de Saint-Martin, dans la terre de Gibraltar (chez les Suisses, l'Eglise anglicane dépend du diocèse de Gibraltar), parce qu'il fallait bien lui trouver une place. Je n'avais pas la moindre idée du culte qu'auraient revendiqué le docteur Fischer ou la mère d'Anna-Luise – ni de l'Eglise où leur fille avait reçu le baptême : Anna-Luise et moi n'avions pas vécu assez longtemps ensemble pour apprendre l'un sur l'autre, d'aussi futiles détails. En tant qu'Anglais, et dans la mesure où personne, à ma connaissance, n'a encore créé de cimetière pour les libres penseurs, il me parut plus simple de la faire inhumer selon le rite anglican. La plupart des habitants du canton de Genève sont protestants, et la mère d'Anna-Luise reposait probablement dans un cimetière protestant, mais il faut dire que les Suisses appartenant à cette confession prennent leur foi au sérieux – l'Eglise anglicane, de par ses croyances contradictoires, semblait plus proche de nos conceptions agnostiques. Je m'attendais un peu à voir M. Belmont faire une discrète apparition au fond du cimetière, de la même manière qu'il s'était manifesté à notre mariage, puis une nouvelle fois, à la messe de minuit – à mon grand soulagement, il ne se montra point. Je n'eus pas à faire la conversation à qui que ce fût. J'étais seul, je pus rentrer seul à la maison, et à défaut d'être avec elle, c'est ce que je pouvais souhaiter de mieux.

Quant à ce que je ferais une fois rentré, ma décision était déjà prise. Des années auparavant, j'avais découvert, à la lecture d'un roman policier, la manière de se tuer en avalant d'un trait une demi-pinte d'alcool. Autant que je me souvienne de l'intrigue, l'un des personnages en mettait un autre au défi de boire un *sconce*[1] (l'auteur était un Oxonien.) Je pensai mettre toutes les chances de mon côté en faisant dissoudre dans le whisky les vingt cachets d'aspirine que j'avais en ma possession. Je m'installai dans le fauteuil qu'Anna-Luise occupait d'habitude et posai le verre sur la table à côté de moi. Je me sentais en paix, mon corps était parcouru par un sentiment bizarre qui se rapprochait du bonheur. Il me semblait que j'aurais pu passer des heures, voire des jours, à me contenter d'observer l'élixir de mort. Quelques particules d'aspirine se déposèrent au fond du verre et je les remuai d'un doigt jusqu'à complète dissolution. Tant que le verre resterait là, je me sentirais à l'abri de la solitude, et même du chagrin. C'était un moment comparable au soulagement qui sépare deux périodes de souffrance, et je pouvais à mon gré prolonger cet intervalle.

Puis le téléphone sonna. Je ne répondis pas tout de suite, mais la sonnerie troublait la paix de la pièce comme l'aurait fait le chien d'un voisin. Je me levai et gagnait l'entrée. Tout en décrochant le combiné, je tournai mon regard en direction du verre qui contenait mon réconfort – l'assurance d'un avenir écourté. Une voix de femme, se fit entendre. « Mr. Jones. C'est bien Mr. Jones, n'est-ce pas ?

– Oui.

1. *Sconce* : traditionnellement l'amende (d'une tournée de bière) infligée à un étudiant d'Oxford par ses condisciples.

– Ici Mrs. Montgomery. » Ainsi, les Crapauds avaient fini par me rattraper.

« Vous êtes toujours là, Mr. Jones ?

– Oui.

– Je voulais vous dire... nous venons seulement d'apprendre la nouvelle... à quel point nous sommes tous désolés...

– Merci », fis-je en raccrochant, mais je n'eus pas le temps de regagner mon fauteuil que le téléphone sonnait de nouveau. A contrecœur, je décrochai.

« Oui ? » dis-je en me demandant auquel d'entre eux j'aurais affaire cette fois, mais c'était encore Mrs. Montgomery. Combien de temps faut-il aux femmes de son espèce pour prendre congé, fût-ce par téléphone ?

« Vous ne m'avez pas laissé le temps de parler, Mr. Jones. J'ai un message pour vous, de la part du docteur Fischer. Il désire vous voir.

– Il aurait pu me voir en venant assister à l'enterrement de sa fille.

– Oh ! mais il y avait des raisons !... vous ne devez pas lui faire de reproche... il vous expliquera... il veut que vous passiez le voir demain... à n'importe quelle heure de l'après-midi.

– Pourquoi ne m'appelle-t-il pas lui-même ?

– Il a horreur du téléphone. Il passe toujours par l'intermédiaire d'Albert... ou de celui d'entre nous qui se trouve disponible.

– Alors, pourquoi ne pas m'écrire ?

– Mr. Kips est absent en ce moment.

– Mr. Kips doit-il donc rédiger ses lettres à sa place ?

– Ses lettres d'affaires, oui.

– Je n'ai aucune affaire à traiter avec le docteur Fischer.

– Je crois qu'il s'agit d'une question fiduciaire. Vous irez, n'est-ce pas ?

– Dites-lui... dites-lui que je vais y réfléchir. »

Je raccrochai. Au moins, il aurait de quoi s'occuper l'esprit durant tout l'après-midi du lendemain, car je n'avais nullement l'intention de répondre à sa convocation. Je ne songeais pour l'instant qu'à mon fauteuil et à ma demi-pinte de whisky pur : un nouveau dépôt d'aspirine s'était formé au fond du verre; je le remuai d'un doigt, mais mon sentiment de bonheur avait disparu. Je n'étais plus seul. Le docteur Fischer semblait flotter dans la pièce à la manière d'un nuage de fumée. Il n'existait qu'un moyen de se débarrasser de lui : je retins ma respiration et vidai mon verre.

Sur la foi du roman policier, j'avais compté que mon cœur s'arrêterait aussi soudainement qu'une horloge, mais je dus constater que j'étais toujours vivant. Je pense à présent que l'aspirine fut une erreur : deux poisons peuvent se neutraliser. J'aurais dû me fier à l'auteur : on dit que ces gens-là font des recherches minutieuses lorsqu'il s'agit de détails d'ordre médical; de plus, si mes souvenirs sont bons, le personnage qui avalait le *sconce* était déjà à moitié ivre, alors que je n'avais pas bu une goutte auparavant. C'est ainsi que, souvent, nous sabotons nos propres morts.

Pendant un moment, je ne ressentis pas la moindre somnolence. J'avais, comme c'est le cas lorsqu'on est seulement un peu ivre, les idées plus claires qu'à l'ordinaire; et dans cet état de lucidité passager, je remuai la même pensée : question fiduciaire, question fiduciaire, jusqu'à ce que le mobile du docteur Fischer m'apparût soudainement. L'argent qu'Anna-Luise avait hérité de sa mère se trouvait retenu par une sorte de fidéicommis : elle n'en avait perçu que les rentes. Quant au capital, j'ignorais complètement qui en serait le bénéficiaire dans les circonstances présentes; je songeai avec haine : il ne vient pas à ses obsèques, mais il envisage déjà les conséquences financières. Peut-être est-ce lui qui va toucher l'argent – le prix du sang. Je revis le pull-over blanc taché de rouge. Il n'avait rien à envier aux Crapauds sur le plan de la cupidité. Il était un Crapaud, comme les autres – le Roi des Crapauds. Brutalement, de la manière dont j'avais imaginé la venue de la mort, je fus terrassé par le sommeil.

15

A MON réveil, je pensai avoir dormi peut-être une heure ou deux. J'avais l'esprit assez clair, mais lorsque je jetai un coup d'œil à ma montre, les aiguilles me firent l'effet d'avoir mystérieusement tourné à l'envers. Je regardai par la fenêtre, et le ciel gris, typique d'un temps de neige, ne me fournit aucune indication – il avait à peu près le même aspect qu'à l'instant où je m'étais endormi. Ciel du matin, ciel du soir, au choix. Il me fallut un bon moment pour comprendre que j'avais dormi pendant plus de dix-huit heures, et c'est seulement à la vue du fauteuil où j'étais installé et du verre vide que la mort d'Anna-Luise me revint à l'esprit. Le verre ressemblait à un revolver déchargé ou à une lame de couteau, brisée en vain sur un sternum. J'allais devoir commencer de réfléchir à une autre méthode de suicide.

Puis je me souvins du coup de téléphone et des inquiétudes du docteur Fischer concernant le fidéicommis. Le chagrin m'avait rendu malade, et l'on doit pardonner à un malade de nourrir certaines pensées. Je voulais humilier Fischer, qui avait causé la mort de la mère d'Anna-Luise et gâché la vie de Steiner. Je voulais blesser son orgueil. Je voulais qu'il souffre comme moi-même je souffrais. J'irais le voir, ainsi qu'il l'avait demandé.

J'empruntai une voiture à mon garage et roulai jusqu'à Versoix. Je me rendis compte que mon esprit n'était pas aussi clair que je le croyais. Sur l'autoroute, je faillis emboutir l'arrière d'un camion qui se déportait vers une des bretelles de sortie. Je songeai d'abord que cette manière de mourir valait bien le whisky, puis me dis qu'un échec, dans ce cas, eût été plus terrible pour moi. Et si l'on avait pu m'extraire des tôles tordues ? Désormais infirme, j'aurais été incapable de tramer ma propre destruction. Je me mis à conduire plus prudemment, mais mes pensées s'égaraient encore – vers le point rouge que j'avais observé de loin, tandis que le téléski emportait Anna-Luise en direction de la piste rouge, vers le pull-over qui formait une tache unie sur la civière, vers les bandages que j'avais pris pour les cheveux blancs d'une inconnue. Je faillis rater la bretelle de Versoix.

La grande maison blanche surplombait le lac, telle la tombe d'un pharaon. Sa masse rapetissait ma voiture, et le timbre grêle de la sonnette, en se répercutant dans les profondeurs de l'immense sépulture, me parut avoir quelque chose d'absurde. Albert ouvrit la porte. Il était, je ne sais pourquoi, vêtu de noir. Le docteur Fischer avait-il chargé son domestique de porter le deuil à sa place ? Cette tenue semblait avoir amélioré le caractère d'Albert. Il ne fit pas semblant de ne pas me reconnaître, garda ses sarcasmes pour lui et se contenta de me mener rapidement en haut du grand escalier de marbre.

Le docteur Fischer ne portait pas le deuil. Il se tenait assis derrière son bureau, comme lors de notre première rencontre. (Le dessus du bureau était presque vide, à l'exception d'un grand pétard de Noël – de ceux qu'on nomme diablotin, et visiblement luxueux, tout scintillant dans sa papillote écarlate et dorée.) Et comme ce jour-là, il dit : « Asseyez-vous, Jones. » Un long silence suivit. Pour une fois, les mots semblaient lui manquer. Je le regardai prendre le diablotin puis le reposer. Le silence s'éternisait, aussi me décidai-je à parler le premier. Ce fut pour l'accuser. « Vous n'avez pas assisté aux obsèques de votre fille.

– Elle tenait trop de sa mère, dit-il, avant d'ajouter : Elle s'est même mise à lui ressembler en grandissant.

– C'est ce qu'a dit Mr. Steiner.

– Steiner?
– Oui.
– Ainsi, ce petit bonhomme est toujours en vie?
– Oui. Il l'était encore voici quelques semaines.
– Les punaises, c'est toujours dur à achever. Ça revient dans la boiserie, dans des coins où l'ongle ne peut les atteindre.
– Votre fille ne vous a jamais fait de mal.
– Elle ressemblait à sa mère. Au mental comme au physique. Avec le temps, elle vous aurait blessé de la même manière. Je me demande quel genre de Steiner aurait surgi de la boiserie, dans votre cas. Un éboueur, peut-être. Elles se plaisent à vous humilier.
– Est-ce pour me dire cela que vous m'avez fait venir?
– Pas réellement, mais en partie, oui. Depuis cette dernière soirée, je me suis mis en tête que je vous devais quelque chose, Jones, et il n'est pas dans mes habitudes de laisser les dettes s'accumuler. Vous vous êtes conduit mieux que les autres.
– Vous voulez parler des Crapauds?
– Les Crapauds?
– C'est le nom que votre fille donnait à vos amis.
– Je n'ai pas d'amis, dit-il en citant Albert, son domestique. Ces gens sont des relations. Les relations, on ne peut y échapper. N'allez pas croire que j'éprouve de l'antipathie à leur égard. L'antipathie est une chose que l'on réserve à ses égaux. Eux, je les méprise.
– De la même manière que moi, je vous méprise?
– Oh! mais vous ne me méprisez pas, Jones, pas le moins du monde. Vous n'employez pas les termes qui conviennent. Vous ne me méprisez pas. Vous me haïssez, ou du moins, vous pensez me haïr.
– J'en suis certain. »

Il accueillit cette profession de foi avec le petit sourire qu'Anna-Luise avait qualifié de dangereux. Un sourire qui exprimait une indifférence infinie. J'aurais bien vu un sculpteur quelque peu hérétique et téméraire en train de sculpter ce genre de sourire sur le visage impassible et cuirassé d'un Bouddha. « Ainsi, Jones me hait, dit-il, c'est trop d'honneur que vous me faites.

Vous et Steiner, j'imagine. Et, en un certain sens, pour la même raison. Ma femme dans un cas, ma fille dans l'autre.

– Vous ne pardonnez donc jamais, pas même aux morts ?

– Voyons, Jones, le pardon. C'est un terme chrétien. Etes-vous chrétien ?

– Je ne sais pas. Je sais seulement que je n'ai jamais méprisé personne comme je vous méprise.

– Encore une fois, vous n'employez pas le mot juste. C'est important, Jones, la sémantique. Je vous le redis, dans votre cas, il s'agit de haine et non de mépris. Le mépris vient d'une grande déception; or, la plupart des gens (et je crois qu'on peut vous compter dans le lot) sont incapables d'une grande déception. Ils attendent trop peu de chose au départ. Quand on ressent du mépris, Jones, c'est comme une blessure profonde et qu'on ne peut guérir, c'est le commencement de la mort. Et l'on doit prendre sa revanche pendant qu'il en est temps encore. Si celui qui a infligé la blessure est mort, il faut faire payer les autres. Peut-être, si je croyais en Dieu, voudrais-je me venger sur lui de m'avoir rendu capable d'éprouver de la déception. Soit dit en passant, je me demande – il s'agit là d'un débat philosophique – de quelle manière on pourrait se venger sur la personne de Dieu. En portant atteinte à son fils, répondrait les Chrétiens.

– Peut-être avez-vous raison, Fischer. Peut-être ne devrais-je même pas vous haïr. Je crois que vous êtes fou.

– Oh ! que non, je ne suis pas fou, dit-il avec cet insupportable petit sourire par lequel il affirmait quelque ineffable supériorité. Vous n'êtes pas quelqu'un de très intelligent, Jones, sinon, à votre âge, vous ne gagneriez pas votre vie en traduisant des lettres où il est question de chocolats. Mais, de temps à autre, l'envie me prend de tenir un discours qui dépasse un peu le niveau de mon interlocuteur. Cela peut même m'arriver à l'improviste lorsque je me trouve en compagnie d'un de mes – comment les appelait donc ma fille ? – d'un de mes Crapauds. Il est amusant d'observer leur réaction. Aucun d'entre eux ne se serait permis de me traiter de fou ainsi que vous venez de le faire. Ils pourraient perdre une invitation à ma prochaine soirée.

– Et une assiettée de porridge?

– Et un cadeau, Jones. Ils ne souffriraient pas de perdre un cadeau. Mrs. Montgomery prétend me comprendre. « Oh! comme je suis d'accord avec vous, doc« teur Fischer. » Deane se met en colère – il ne supporte pas tout ce qui échappe à sa compréhension. Il va jusqu'à soutenir que *Le Roi Lear* est un tissu d'absurdités, car il se sait incapable de l'interpréter, fût-ce à l'écran. Belmont écoute attentivement puis change de sujet. La pratique des questions fiscales lui a enseigné l'art de ne pas se déclarer. Le divisionnaire... avec lui, je ne me suis laissé aller à parler qu'une fois, parce que j'en avais assez de la stupidité de ce vieillard. Il s'est contenté de me servir un gros rire et de dire : « Avan« çons sous la mitraille » – mitraille qu'il n'a jamais entendue de sa vie, naturellement, si ce n'est au champ de tir. Kips est celui qui sait le mieux écouter... Je crois qu'il espère toujours glaner dans mes propos un grain de bon sens qui pourrait lui être utile. Ah! Kips... voilà qui me ramène au sujet de votre visite. Le fidéicommis.

« Vous savez – ou peut-être l'ignorez-vous – que ma femme a laissé à sa fille les rentes de son petit capital, mais ces dispositions n'avaient de valeur que tant qu'elle était en vie. Ensuite, le capital est attribué à l'héritier éventuel d'Anna-Luise; or, celle-ci est morte sans avoir d'enfant, et c'est à moi que revient l'argent. « Pour montrer qu'elle a pardonné » est la formule impertinente qu'on peut lire dans le testament. Comme si je me souciais le moins du monde de son pardon – qu'y a-t-il a pardonné? Accepter cet argent signifierait que j'accepte ledit pardon – celui d'une femme qui m'a trompé avec un employé de Mr. Kips.

– Etes-vous sûr qu'elle ait couché avec lui?

– Couché avec lui? Elle a pu somnoler sur son épaule en écoutant le crincrin d'un disque quelconque, mais quant à savoir si elle a baisé, je ne puis l'affirmer. La chose est possible, mais je n'en suis pas sûr. D'ailleurs, ça n'aurait guère compté à mes yeux. Simple question d'instinct animal. J'aurais pu passer là-dessus, mais elle préférait sa compagnie à la mienne. Un employé de Mr. Kips, payé au salaire minimum.

– Tout se ramène à une question d'argent, n'est-ce pas, docteur Fischer ? Il n'était pas assez riche pour vous cocufier ?

– L'argent a son importance, je ne le nie pas. Il y a même des gens qui sont prêts à mourir pour de l'argent, Jones. On ne meurt par amour que dans les romans. »

Mourir par amour – c'est précisément ce que je venais de tenter, et j'avais échoué; mais était-ce bien l'amour qui avait inspiré mon geste, ou la peur d'une solitude irrémédiable ?

Je ne l'écoutais plus. Je rattrapai le fil de son discours juste à temps pour entendre ses derniers mots : « Et donc l'argent vous appartient, Jones.

– Quel argent ?

– Celui du fidéicommis, naturellement.

– Je n'en ai pas besoin. Nous arrivions à nous débrouiller avec ce que je gagnais. Exclusivement.

– Vous m'étonnez. J'aurais cru que vous essaieriez au moins de profiter un peu de l'argent de sa mère tant que vous le pouviez.

– Non, nous n'y avons pas touché. Nous le réservions à l'enfant que nous comptions avoir », dis-je. Puis j'ajoutai, « après la saison de ski », et, en parlant, je vis par la fenêtre la neige qui tombait à la verticale, sans discontinuer, comme si le monde avait cessé de tourner et se tenait immobile dans l'œil d'un cyclone.

Une nouvelle fois, je n'entendis pas l'essentiel de ses propos, dont je ne saisis que les dernières phrases. « Ce sera la dernière soirée que je donnerai. L'épreuve ultime.

– Vous allez donner une autre réception ?

– La dernière, Jones, et je veux que vous y assistiez. Ainsi que je l'ai dit, je vous dois quelque chose. Lors de la Soirée du Porridge, vous les avez humiliés mieux que je n'ai su y parvenir à ce jour. Vous vous êtes abstenu de manger. Vous avez renoncé à votre cadeau. Vous êtes venu en étranger et vous leur avez tendu un miroir. Comme ils vous ont haï. Chaque seconde m'a été un enchantement.

– Je les ai revus à Saint-Maurice après la messe de minuit. Ils ne semblaient pas nourrir la moindre rancune à mon égard. Belmont m'a même donné une carte de Noël.

– Naturellement. S'ils avaient manifesté leurs sentiments, l'humiliation n'en aurait été que plus dure. Ils ont besoin de trouver une explication à votre cas. Savez-vous ce que m'a sorti le divisionnaire, une semaine plus tard (l'idée venait sans doute de Mrs. Montgomery) : « Vous y êtes allé un peu fort avec « votre gendre, en lui refusant son cadeau. Le pauvre « gars. Ce n'était pas de sa faute s'il avait la courante ce « soir-là. Ça aurait pu arriver à n'importe lequel d'entre « nous. Moi-même, je dois avouer que je ne me sentais « pas tellement dans mon assiette, mais je ne voulais « pas gâcher votre petite plaisanterie.

– Vous ne me ferez pas assister à une autre soirée.

– Celle-ci sera tout à fait sérieuse, Jones. Pas de gamineries, je vous en fais le serment. Et le dîner sera excellent, cela aussi je vous le promets.

– Je ne suis guère d'humeur à apprécier la bonne cuisine.

– Je vous répète que cette soirée constituera l'épreuve ultime de leur cupidité. Vous avez suggéré à Mrs. Montgomery que je leur offre des chèques, eh bien, ils auront des chèques.

– Elle m'a dit qu'ils n'en accepteraient jamais.

– Nous verrons, Jones, nous verrons. Je vous garantis que leur montant sera très, très important. Je veux que vous puissiez témoigner des extrêmes auxquels ils peuvent atteindre.

– Quels extrêmes ?

– L'amour du lucre, Jones. La cupidité des riches, que vous ne risquez pas de connaître un jour.

– Vous aussi, vous êtes riche.

– Oui, mais ma cupidité – je me suis déjà expliqué sur ce point –, ma cupidité est d'un autre ordre. Je veux... » D'un geste qui me rappela un peu celui du prêtre lors de la messe de minuit, il éleva le pétard de Noël, comme s'il s'apprêtait à confier à un disciple un message d'une grande importance. « Ceci est mon corps. » Il répéta « Je veux... et reposa le diablotin.

– Que voulez-vous, docteur Fischer ?

– Vous n'êtes pas assez intelligent pour comprendre, même si je vous le disais. »

Cette nuit-là, je rêvai du docteur pour la seconde fois. Je ne pensais pas arriver à m'endormir, mais il est possible que le long trajet de retour depuis Genève, à conduire dans le froid, m'ait aidé à trouver le sommeil. Peut-être, également, qu'en agressant Fischer j'avais pu oublier l'espace d'une demi-heure à quel point ma vie était devenue vide de sens. Comme la veille, je m'endormis brutalement dans mon fauteuil. Le docteur Fischer m'apparut, le visage maquillé à la façon d'un clown et la moustache pointue, style Kaiser. Il jonglait avec des œufs sans en casser un seul. Il en faisait sans cesse surgir de nouveaux de son coude, de son cul, de nulle part – il créait des œufs, si bien qu'à la fin, il devait y en avoir des centaines que ses doigts effleuraient avec une grâce aérienne. Soudain, il frappa dans ses mains, les œufs tombèrent sur le sol en explosant comme des bombes et je m'éveillai. Le lendemain matin, l'invitation attendait dans ma boîte aux lettres : « Le docteur Fischer vous convie à la Soirée Finale. » La date était fixée à la semaine prochaine.

Je me rendis au bureau. Les gens s'étonnèrent de me voir, mais que pouvais-je faire d'autre ? Ma tentative de suicide avait échoué. Dans mon état, je ne trouverais pas un médecin qui accepterait de me prescrire quelque chose de plus fort qu'un tranquillisant. Si j'en avais le courage, je pourrais gagner le dernier étage de l'immeuble et me jeter par la fenêtre – à condition que ces fenêtres pussent s'ouvrir, ce dont je doutais; seulement ce genre de courage me manquait. Un « accident » de voiture risquait d'impliquer d'autres personnes, et de toute façon, la mort n'était pas garantie. Je ne possédais pas de pistolet. Ces sujets m'occupaient plus que la lettre qu'il me fallait rédiger à l'intention du confiseur espagnol, toujours obsédé, semblait-il, par les goûts basques en matière de chocolats à la liqueur. Après le travail, au lieu de me tuer, j'entrai dans le premier cinéma qui se présenta sur le chemin du retour et passai une heure devant l'écran où l'on projetait un porno « soft ». Les mouvements des corps nus ne suscitèrent en moi aucune excitation sexuelle : ils me faisaient penser aux dessins d'une grotte préhistorique — traces de l'écriture indéchiffrable de gens dont je ne savais rien.

A la sortie, je me dis qu'on n'échappait pas au besoin de se nourrir, quoi qu'on fasse; j'entrai dans un café où je commandai une tasse de thé et un gâteau; quand j'eus fini, je m'interrogeai : pourquoi avais-je mangé? J'aurais pu m'en passer. Se laisser mourir de faim, c'est une solution. Mais je me souvins du maire de Cork, qui avait tenu ainsi plus de cinquante jours, si je ne m'abuse? Je demandai une feuille de papier à la serveuse et écrivis : « Alfred Jones accepte l'invitation du docteur Fischer »; puis je rangeai la feuille dans ma poche afin de ne pas me donner le temps de changer d'avis. Le lendemain, je la postai presque sans réfléchir.

Pourquoi avais-je répondu à son invitation? Je l'ignore moi-même. Peut-être aurais-je accueilli n'importe quelle obligation qui me permettait d'échapper une heure ou deux à mes pensées — des pensées qui consistaient pour l'essentiel à trouver un moyen de disparaître avec un minimum de souffrance pour moi et un minimum de désagrément pour autrui. La noyade, par exemple : je n'avais qu'à descendre la rue pour aboutir au lac Léman, dont les eaux glacées auraient vite eu raison de tout instinct de conservation. Seulement, je n'en avais pas le courage — la mort par noyade était une phobie d'enfance qui remontait au jour où un jeune secrétaire d'ambassade m'avait poussé dans le grand bain, à la piscine. Et puis mon cadavre risquait de créer une pollution néfaste aux perches. Il me restait la solution du gaz d'échappement, bien entendu — cette idée, je la gardais en réserve, car en définitive, la réponse la plus appropriée était peut-être de se laisser mourir de faim — une façon propre, discrète et intime de tirer sa révérence : j'étais plus âgé que le maire de Cork et sans doute moins costaud. J'allais me fixer une date de départ : le lendemain de la fête du docteur Fischer.

16

L'IRONIE du sort fit qu'un accident me retarda sur l'autoroute : la voiture d'un particulier était allée s'écraser contre un camion après avoir dérapé sur une plaque de verglas. La police se trouvait sur les lieux, ainsi qu'une ambulance, et l'on retirait quelque chose des tôles découpées au chalumeau; la flamme du jet de gaz était si intense que l'obscurité parut redoubler lorsque je m'éloignai de la scène. A mon arrivée, la porte était ouverte et Albert se tenait déjà sur le seuil. Je pus juger de ses progrès en matière de savoir-vivre (peut-être avais-je été admis dans les rangs des Crapauds) quand il descendit les marches afin de m'accueillir et ouvrit la portière de ma voiture. Pour la première fois, il consentit à se souvenir de mon nom. « Bonsoir, Mr. Jones. Le docteur Fischer vous conseille de garder votre manteau. On dînera sur la pelouse.

– Sur la pelouse? » m'écriai-je. La nuit était claire : les étoiles brillaient comme des éclats de glace et le thermomètre était descendu au-dessous de zéro.

« Je crois que vous trouverez la température à votre convenance, monsieur. »

Il me précéda dans le salon où j'avais rencontré Mrs. Montgomery pour la première fois, puis dans une autre pièce dont les murs étaient couverts de livres luxueusement reliés en veau – et sans doute achetés en collection. « La bibliothèque, monsieur. » Je me dis qu'il aurait pu faire des économies en utilisant des dos factices, car l'endroit ne semblait pas servir fréquemment. Des portes-fenêtres donnaient sur la vaste pelouse qui descendait vers le lac invisible. L'espace d'un instant, je fus ébloui par une vive lumière. Quatre feux gigantesques crépitaient sur la neige et des lampes pendaient aux branches de tous les arbres.

« Tout ceci n'est-il pas merveilleusement extravagant ? » s'exclama Mrs. Montgomery en sortant de l'ombre pour m'accueillir, telle l'hôtesse qui prend l'air assuré afin de mettre en confiance un invité timide. « C'est une véritable féerie. Je crois que vous n'aurez même pas besoin de votre manteau, Mr. Jones. Nous sommes tous ravis de vous voir à nouveau parmi nous. Vous nous avez manqué. » « Nous », encore « nous » – je les distinguais, maintenant que mes yeux n'étaient plus éblouis; les Crapauds au grand complet se tenaient autour d'une table dressée au centre de l'espace délimité par les feux; les reflets des flammes jouaient sur les verres de cristal. Nous étions loin de l'ambiance qui régnait lors de la Soirée du Porridge.

« Quel dommage que ce soit le dernier dîner, poursuivit Mrs. Montgomery. Mais vous allez voir qu'il nous fait ses adieux en beauté. Je l'ai aidé à composer son menu. Pas de porridge ! »

Albert se trouva soudain à côté de moi, porteur d'un plateau garni de verres de whisky, de Martini dry, d'Alexandra. « Je reste fidèle aux Alexandra, fit Mrs. Montgomery. C'est mon troisième. Quelle absurdité, quand on vient vous soutenir que les cocktails gâtent le palais. Comme je dis toujours, c'est plutôt l'absence d'appétit qui le gâte. »

Richard Deane sortit de l'ombre à son tour. Il brandissait un menu gravé sur un papier gaufré à motifs dorés. Je pus me rendre compte qu'il était déjà sérieusement imbibé; et derrière lui, entre deux feux, c'était bien Mr. Kips qui semblait rire : on ne pouvait en être absolument sûr à cause de son dos voûté, qui ne permettait pas d'apercevoir sa bouche – en tout cas, ses épaules étaient agitées de secousses. « Voilà qui est mieux que du porridge, fit Deane. Quel dommage que ce soit la dernière soirée. Vous croyez que le vieux est à court de blé ?

– Non, non, dit Mrs. Montgomery. Il nous a toujours prévenus qu'un jour, ce serait la dernière réception, la meilleure et la plus excitante. Et puis, je ne crois pas qu'il se sente le cœur de continuer. Après ce qui s'est passé. Sa pauvre fille...

– A-t-il un cœur ? demandai-je.

– Ah ! vous ne le connaissez pas comme nous autres. Sa générosité... » Un réflexe pavlovien lui fit porter la main à l'émeraude qui pendait à son cou.

« Buvez donc, et prenez place. »

Venue d'un coin sombre du jardin, la voix du docteur nous rappela à l'ordre. Fischer se tenait en un endroit d'où il avait pu jusqu'alors échapper à mon attention. Penché au-dessus d'un baquet, une vingtaine de mètres plus loin, il semblait y brasser quelque chose – j'eus l'impression qu'il se lavait les mains.

« Regardez-le, ce cher homme, dit Mrs. Montgomery. Il prend bien soin de régler le moindre détail.

– Que fait-il ?

– Il dissimule les diablotins à l'intérieur du baquet de son.

– Pourquoi ne pas les mettre sur la table ?

– Il ne veut pas que les gens se mettent à les tripoter pendant tout le repas pour essayer de deviner ce qu'ils contiennent. C'est moi qui lui ai donné l'idée du baquet de son. Figurez-vous qu'il n'avait jamais entendu parler de cette coutume. Je ne peux pas croire qu'il ait eu une enfance très heureuse – qu'en pensez-vous ? Mais l'idée lui a plu d'emblée. Il a placé les cadeaux dans les diablotins, puis il a mis les diablotins dans le baquet de son, et nous devrons tous aller les retirer au hasard, en fermant les yeux.

– Supposez que vous héritiez d'un coupe-cigare en or ?

– Impossible. Ces cadeaux ont été choisis pour s'adapter pareillement à chacun d'entre nous.

– Y a-t-il une chose au monde qui remplisse de telles conditions ?

– Attendez et vous verrez. Il nous le dira lui-même. Faites-lui confiance. Vous savez, au fond, c'est quelqu'un de très sensible. »

On se mit à table. Cette fois, je me trouvai assis entre Mrs. Montgomery et Richard Deane, face à Belmont et à Mr. Kips. Le divisionnaire et notre hôte occupaient chacun un bout de table. L'alignement des verres était impressionnant. J'appris en consultant le menu qu'on nous servirait un Meursault 1971, un Mouton-Rothschild 1969 ainsi qu'un porto Cockburn dont le millésime m'échappe. Je me dis que je pourrais au moins me soûler à mort sans avoir recours à l'aspirine. La bouteille de vodka finlandaise qui accompagnait le caviar (auquel tout le monde eut droit) était prise dans un bloc de glace à l'intérieur duquel on avait gelé des pétales de fleurs de serre. J'ôtai mon manteau et le disposai sur le dossier de ma chaise de manière à me préserver de la chaleur du feu qui brûlait dans mon dos. Telles des sentinelles, deux jardiniers allaient et venaient, entretenant les feux en y rajoutant des bûches, et l'épaisse couche de neige étouffait le bruit de leurs pas. La scène avait quelque chose d'irréel – tant de chaleur et tant de neige; d'ailleurs, la neige qui s'était amassée sous nos sièges commençait déjà à fondre. A ce train-là, pensai-je, nous aurons bientôt les pieds dans la gadoue.

On fit circuler deux fois le grand bol de caviar. Chacun se resservit, à l'exception du docteur Fischer et de moi-même. « C'est tellement sain, expliqua Mrs. Montgomery. Il y a plein de vitamine C.

– Je peux boire de la vodka finlandaise avec la conscience tranquille, fit Belmont en acceptant son troisième verre.

– Ils se sont remarquablement comportés pendant leur campagne de l'hiver 39, observa le divisionnaire. Si les Français en avaient fait autant en 40...

– Est-ce que par hasard vous m'auriez vu dans *Les Plages de Dunkerque?* me demanda Richard Deane.

– Non. Je ne me trouvais pas à Dunkerque.

– Je faisais allusion au film.

– Non. Je ne l'ai pas vu, malheureusement. Pourquoi?

– Oh! je me posais la question. Je crois pouvoir affirmer que c'est mon meilleur film. » Le Mouton-

Rothschild fut servi sur un rôti de bœuf en croûte, dont la pâte très légère avait retenu tout le jus de cuisson. Plat somptueux, certes, mais pendant un moment, la vue du sang bien rouge me rendit malade – je me retrouvai au pied du remonte-pente. « Albert, fit le docteur, coupez dont la viande de Mr. Jones. Il a une main atrophiée.

– Pauvre Mr. Jones, intervint Mrs. Montgomery. Laissez-moi m'en occuper. Préférez-vous de tout petits morceaux ?

– De la pitié, toujours de la pitié, dit le docteur. Vous devriez récrire la Bible : « Aie pitié de ton pro- « chain comme de toi-même. » La pitié féminine est un sentiment tellement excessif. Dans ce domaine, ma fille tenait de sa mère. Peut-être vous a-t-elle épousé par pitié, Jones. Je ne doute pas que Mrs. Montgomery vous épouserait également, si vous le lui demandiez. Mais la pitié s'use rapidement, quand l'objet de vos soins n'est plus là.

– Quelle émotion ne s'use pas ? demanda Deane.

– L'amour, s'empressa de répondre Mrs. Montgomery.

– Je n'ai jamais pu coucher avec la même femme pendant plus de trois mois, reprit l'acteur. Ça devient une corvée.

– Alors, il ne s'agit pas d'un amour véritable.

– Combien de temps avez-vous été mariée, Mrs. Montgomery ?

– Vingt ans. »

Le docteur Fischer intervint. « Il faut que vous le sachiez, Deane : Mr. Montgomery était extrêmement riche. Un bon compte en banque aide l'amour véritable à durer. Mais vous ne mangez rien, Jones. Le bœuf n'est-il pas assez tendre à votre goût, ou bien les morceaux découpés par Mrs. Montgomery sont-ils trop gros ?

– La viande est excellente, mais je n'ai pas faim. »

Je me servis un nouveau verre de Mouton-Rothschild; je ne buvais pas pour apprécier le bouquet du vin, car mon palais me paraissait de plomb, mais parce que la boisson contenait la promesse lointaine d'une sorte d'oubli.

« En temps normal, Jones, cela vous aurait coûté votre récompense, mais ce soir, pour notre dernier dîner, personne ne sera privé de cadeau, à moins de l'avoir expressément souhaité.

– Mais qui irait refuser l'un de *vos* cadeaux, docteur Fischer ? demanda Mrs. Montgomery.

– C'est ce que je découvrirai avec beaucoup d'intérêt d'ici quelques minutes.

– Vous savez que cela n'arrivera jamais. Vous êtes si généreux...

– Jamais est un bien grand mot. Je ne suis pas sûr que ce soir... Albert, vous négligez tous vos devoirs. Le verre de Mr. Deane est vide, celui de Mr. Belmont également. »

Il fallut attendre qu'on eût servi le porto (selon la tradition anglaise : en fin de repas, avec un morceau de Stilton) pour connaître les explications du docteur. Comme d'habitude, ce fut Mrs. Montgomery qui le lança sur le sujet.

« J'ai les doigts qui me démangent d'aller fouiller dans le son.

– Il n'y a rien que quelques diablotins, dit le docteur. Mr. Kips, il ne faut pas que vous vous endormiez avant d'avoir tiré le vôtre. Deane, vous empêchez le porto de circuler. Non, non, pas dans ce sens-là. Où avez-vous donc été éduqué ? Dans le sens des aiguilles d'une montre.

– Rien que des diablotins, insista Mrs. Montgomery. Vous voulez rire. Comme si nous ne savions pas que c'est ce qu'il y a à l'intérieur qui compte.

– Six diablotins, et cinq d'entre eux renferment des bouts de papier identiques.

– Des bouts de papier ? » s'exclama Belmont.

Mr. Kips essaya de tordre le cou en direction du docteur Fischer.

« Des devises, expliqua Mrs. Montgomery. Il y en a dans tous les diablotins dignes de ce nom : on défait la papillote et on trouve une devise.

– Et quoi d'autre ? interrogea Belmont.

– Ceux-là ne contiennent pas de devise. Ces bouts de papier portent un nom et une adresse bien précis : Crédit Suisse, Berne.

– Ce ne sont tout de même pas des chèques? demanda Mr. Kips.

– Mais si, Mr. Kips, et la même somme est inscrite sur chacun d'eux, de manière à ne pas faire de jaloux.

– L'idée de faire circuler des chèques entre amis ne me plaît guère, fit Belmont. Oh! je sais que cela part d'un bon sentiment, docteur Fischer, et tous ici, nous avons apprécié les petits cadeaux qu'il vous est souvent arrivé de nous offrir à la fin d'une soirée, mais des chèques – ce n'est pas – enfin, cela manque un peu de dignité, ne trouvez-vous pas? Sans parler des problèmes fiscaux.

– Je vous donne votre compte – voilà à quoi cela se résume.

– Bon sang, nous ne sommes pas vos employés, fit Richard Deane.

– En êtes-vous si sûrs? N'avez-vous point tous tenus vos rôles pour mon plaisir aussi bien que pour votre profit personnel? Vous-même, Deane, vous n'avez pas dû vous sentir dépaysé en exécutant mes ordres. Je n'ai été en somme qu'un metteur en scène de plus et je vous ai conféré un talent que, seul, vous ne possédez pas.

– Je n'ai pas à accepter votre foutu chèque.

– Vous n'y êtes pas obligé, Deane, mais vous le ferez. Si le chèque est assez gros, vous seriez prêt à interpréter Mr. Darling, de *Peter Pan,* bouclé dans un chenil.

– Nous venons de faire un excellent dîner, intervint Belmont, dont nous nous souviendrons toujours avec gratitude. Aussi, ne laissons pas les esprits s'échauffer. Je comprends le point de vue de Deane, mais je crois qu'il exagère.

– Il va de soi que vous êtes entièrement libres de refuser mes petits cadeaux d'adieu si tel est votre désir. Je vais dire à Albert d'emporter le baquet. Vous m'avez entendu, Albert? Rapportez le baquet de son à la cuisine – non, attendez un instant. Avant de prendre une décision, je pense qu'il faut que vous sachiez ce qui est inscrit sur ces bouts de papier. Deux millions de francs par chèque.

– Deux millions! s'écria Belmont.

— J'ai laissé les noms en blanc. Vous pouvez y mettre celui que vous voudrez. Peut-être Mr. Kips aimerait-il faire don de son chèque à quelque fondation de recherche médicale consacrée au traitement des déviations de la colonne vertébrale ? Quant à Mrs. Montgomery, il n'est pas exclu qu'elle souhaite s'offrir un amant. Deane pourrait assurer le financement partiel d'un film. Il est en passe de ne plus faire d'entrées — telle est, je crois, l'expression utilisée dans son monde.

— Cela ne me paraît pas très correct, docteur, dit Mrs. Montgomery. Vous avez l'air de sous-entendre que notre amitié est intéressée.

— Votre émeraude ne le suggérait-elle pas déjà ?

— Les bijoux offerts par un homme qu'on aime, ce n'est pas du tout pareil. Vous ne semblez pas mesurer tout l'amour que nous vous portons, docteur Fischer. Un amour platonique, peut-être, mais est-il moins réel pour... enfin vous me comprenez.

— Bien entendu, je me rends parfaitement compte qu'aucun de vous n'a besoin de deux millions de francs pour vivre. Vous êtes tous assez riches pour distribuer cet argent — mais je me demande s'il s'en trouvera un seul pour le faire.

— Le fait que nos noms ne figurent pas sur les chèques modifie quelque peu le problème, dit Belmont.

— Je me disais bien que sur le plan fiscal, cette solution serait plus sage. Mais vous connaissez mieux que moi ce genre de question.

— Je ne songeais pas à cela. Je me souciais de dignité humaine.

— Ah ! ça y est, je comprends : vous voulez dire qu'il est plus difficile de se sentir insulté par un chèque de deux millions de francs que par un chèque de deux mille.

— Je ne me serais pas exprimé en ces termes », fit Belmont.

Le divisionnaire intervint pour la première fois dans le débat. « Je ne suis pas un financier comme Mr. Kips ou M. Belmont. Je ne suis qu'un simple soldat, mais je n'arrive pas à voir la différence entre accepter du caviar et accepter un chèque.

– Bravo, général, dit Mrs. Montgomery. Vous venez de m'ôter les mots de la bouche. »

Mr. Kips se justifia : « Je n'ai soulevé aucune objection. Je me suis contenté de poser une question.

– Et moi de même, fit Belmont. Etant donné que nos noms ne figurent pas sur les chèques... Je m'efforçais simplement d'user de discernement pour le compte de tous – particulièrement pour celui de Mr. Deane, qui est anglais. C'est mon devoir, puisque je suis son conseiller fiscal.

– Vous me suggérez d'accepter ? demanda Deane.

– En l'occurrence, oui.

– Vous pouvez laisser le baquet là où il est, Albert, fit le docteur Fischer.

– Il y a un point que vous n'avez pas expliqué, dit Mr. Kips. Vous avez parlé de six diablotins, et de cinq bouts de papier. Est-ce parce que Mr. Jones ne participe pas au tirage ?

– Mr. Jones aura autant de chances que vous. Tour à tour, vous irez jusqu'au baquet et vous prendrez votre diablotin – vous déferez la papillote sans vous éloigner du baquet, après quoi vous reviendrez à table. Si vous revenez, naturellement.

– Que voulez-vous dire – si nous revenons ? demanda Deane.

– Avant de répondre à votre question, je propose que vous repreniez tous un verre de porto. Non, non, voyons, Deane. Je vous l'ai déjà dit : pas dans ce sens-là, dans le sens des aiguilles d'une montre.

– Vous allez nous rendre pompettes », dit Mrs. Montgomery.

Deane insista : « Vous n'avez pas répondu à la question de Mr. Kips. Pourquoi seulement cinq bouts de papier ?

– Je bois à la santé de tous, fit le docteur en levant son verre. Même si vous refusez d'aller tirer votre diablotin, vous aurez bien gagné votre dîner, car vous m'aidez dans le dernier stade de ma recherche.

– De quelle recherche s'agit-il ?

– J'étudie la cupidité des riches.

– Je ne comprends pas.

— Ce cher docteur. C'est encore une de ses petites plaisanteries, intervint Mrs. Montgomery. Levez donc votre verre, Mr. Deane. »

Ils burent tous ensemble. Je me rendis compte qu'ils étaient plus qu'un peu éméchés — moi seul semblais irrémédiablement condamné à une morose sobriété en dépit de tout l'alcool que je pourrais absorber. Je ne fis pas remplir mon verre. J'étais résolu à ne plus boire une goutte jusqu'au moment où, de retour chez moi et seul, je pourrais me soûler à mort si telle était ma décision.

« Jones n'a pas levé son verre avec nous. Peu importe. Ce soir, nous relâchons la discipline. Je désire depuis fort longtemps mettre à l'épreuve la force de votre cupidité. Vous avez subi de ma part une dose considérable d'humiliations que vous acceptiez en songeant à la récompense qui suivrait. Notre Soirée du Porridge fut simplement le test final de cette série. Votre rapacité s'est révélée plus grande que n'importe quel affront issu de mon imagination.

— Mais il n'y a pas eu d'affront, cher docteur. Seulement votre merveilleux sens de l'humour. Nous nous sommes divertis autant que vous.

— Je veux découvrir à présent si votre cupidité l'emportera aussi sur la peur — et j'ai pour ce faire organisé ce que je pourrais baptiser une Soirée des Bombes.

— Qu'est-ce que c'est que ce baratin — une Soirée des Bombes ? » Deane avait le vin mauvais.

« Le sixième diablotin contient une petite charge explosive, probablement mortelle, dont l'un d'entre vous actionnera le détonateur en défaisant sa papillote. Cela vous explique pourquoi le baquet de son a été placé à bonne distance de la table, les diablotins bien enfouis dans le son, et pourquoi l'ensemble est doté d'un couvercle, au cas où une étincelle malheureuse provenant d'un des feux viendrait tomber là où il ne faut pas. Je me permets d'ajouter qu'il serait inutile — voire dangereux — de tripoter vos diablotins. Tous sont dotés du même type de conteneur métallique, et dans l'un d'entre eux se trouve ce que j'appelle la bombe. Les autres renferment vos chèques.

– Il plaisante, nous déclara Mrs. Montgomery.

– Peut-être bien. Vous serez fixés d'ici la fin de la soirée. Le jeu n'en vaut-il pas la chandelle? La mort n'est pas du tout certaine, même pour celui qui aura tiré le pétard dangereux, et je vous donne ma parole d'honneur que les chèques sont vraiment là. Deux millions de francs.

– Mais si quelqu'un est tué, fit Belmont en clignant rapidement ses paupières. Enfin quoi, il s'agirait de meurtre.

– Oh! mais non. Vous êtes tous témoins. C'est une forme de roulette russe. Pas même de suicide. Je suis sûr que Mr. Kips sera d'accord avec moi. Quiconque ne désire pas entrer dans le jeu est prié de quitter immédiatement cette table.

– Il n'est pas question que je me prête à cela », dit Mr. Kips. Il regarda autour de lui dans l'espoir de trouver un soutien, mais ce fut en pure perte. « Je refuse d'être témoin. Le scandale sera grand, docteur Fischer. C'est bien le moins à quoi vous puissiez vous attendre. »

Il se leva de table et, le dos courbé, fila parmi les feux en direction de la maison. Une fois de plus, il me fit penser à un petit sept noir. Je m'étonnai qu'un homme à ce point handicapé fût le premier à refuser de risquer sa vie.

« Vous bénéficiez de cinq chances contre une, lui dit au passage le docteur Fischer.

– Je n'ai jamais joué pour de l'argent, répliqua Mr. Kips. Je considère cela comme hautement immoral. »

Bizarrement, ces mots parurent détendre l'atmosphère. « Je ne vois pas en quoi le jeu serait immoral, fit le divisionnaire. J'ai passé plus d'une semaine fort plaisante à Monte-Carlo. Un jour, j'ai gagné trois fois de suite en misant sur le 19. »

Belmont prit le relais : « Il m'est arrivé de traverser le lac pour me rendre au casino d'Evian. Je n'ai jamais joué gros jeu, mais sur ces questions mon point de vue n'est nullement celui d'un moraliste. » Ils semblaient tous avoir oublié la bombe. Mr. Kips et moi étions peut-être les seuls à penser que le docteur Fischer ne plaisantait pas.

« Mr. Kips vous a pris trop au sérieux, dit Mrs. Montgomery. Il n'a aucun sens de l'humour.

– Que va devenir le chèque de Mr. Kips, demanda Belmont, puisque personne n'ira ramasser son pétard ?

– Je vais le diviser entre vous. A moins, naturellement, qu'il ne contienne la bombe. Dans ce cas, je ne crois pas que le partage vous tenterait énormément. »

Belmont se livra à un rapide calcul. « Quatre cent mille francs de plus par personne.

– Non, davantage. L'un d'entre vous n'aura probablement par survécu.

– Survécu ! » s'exclama Deane. Peut-être était-il trop ivre pour avoir avalé l'histoire du diablotin explosif.

« Naturellement, dit le docteur, il n'est pas impossible que tout s'achève sur une note de gaieté. La bombe est peut-être contenue dans le sixième diablotin.

– Vous prétendez sérieusement qu'il y a une foutue bombe dans un de ces trucs ?

– Deux millions cinq cent mille francs », murmura Mrs. Montgomery, qui venait de rectifier les chiffres de Belmont et rêvait certainement de ce que le docteur Fischer avait décrit comme « une note de gaieté ».

« Je suis sûr que vous, Deane, ne refuserez pas de participer à ce petit jeu. Je me rappelle avec quel courage dans *Les Plages de Dunkerque,* vous vous portiez volontaire pour une mission suicide. Vous étiez superbe – du moins, superbement dirigé. Cela vous a presque valu un Oscar, si je ne m'abuse ? « J'irai, mon « commandant, à condition de pouvoir partir seul. » Voilà une réplique que je ne suis pas près d'oublier. Qui en est l'auteur ?

– C'est moi. Pas le scénariste ni le metteur en scène. Ça m'est venu comme ça, tout d'un coup, sur le plateau.

– Félicitations, mon garçon. A présent, vous avez une belle occasion « d'aller seul » jusqu'au baquet de son. »

Je n'avais pas imaginé un seul instant que Deane s'exécuterait. Il se leva et vida son verre de porto. Je crus qu'il allait emboîter le pas à Mr. Kips. Mais peut-être, dans sa soûlographie, se croyait-il vraiment revenu sur un plateau de cinéma, entouré d'une Dunkerque imaginaire. Il porta la main à sa tempe, comme pour ajuster un béret absent, mais tandis qu'il se remettait dans la peau du rôle, Mrs. Montgomery passa à l'action. Elle quitta la table et fonça dans la neige en s'écriant « les dames d'abord ! ». Parvenue devant le baquet, elle fit sauter le couvercle et plongea ses mains dans le son. Peut-être avait-elle calculé que la cote ne pourrait plus jamais être aussi bonne.

Quant à Belmont, sans doute s'était-il tenu le même raisonnement, car il protesta : « Nous aurions dû procéder à un tirage au sort. »

Mrs. Montgomery trouva son diablotin et défit la papillote. Il y eut un léger « pop », un petit cylindre métallique tomba dans la neige. Tout excitée, elle brandit un rouleau de papier en hurlant.

« Quelque chose ne va pas ? demanda le docteur Fischer.

– Bien au contraire, cher docteur. Tout va à merveille. Crédit Suisse, Berne. Deux millions de francs. » Elle regagna la table en courant. « Vite, quelqu'un, qu'on me donne un stylo. Je veux inscrire mon nom. Le chèque pourrait s'égarer.

– Je vous conseillerais de n'en rien faire tant que nous n'aurons pas examiné la situation avec beaucoup de soin », déclara Belmont – mais il s'adressait à une sourde. Richard Deane se tenait figé au garde-à-vous. D'une seconde à l'autre, me dis-je, il va saluer son colonel. Il devait repasser dans sa tête les derniers ordres reçus. Belmont eut tout le temps de le devancer au baquet. Il marqua une légère hésitation avant de prendre son diablotin – même petit cylindre, même bout de papier; Belmont afficha un léger sourire satisfait et cligna de l'œil. Il avait évalué ses chances et placé un bon pari. C'était un homme d'argent, on n'avait rien à lui apprendre.

« J'irai, mon commandant, à condition de pouvoir partir seul », affirma Deane.

Mais il ne bougea pas pour autant. Peut-être le metteur en scène venait-il de crier « Coupez ! » à cet instant précis.

Le docteur Fischer m'interrogea. « Et vous, Jones ? Vos chances diminuent.

– Je préfère observer jusqu'au bout votre fichue expérience. C'est la cupidité qui l'emporte, n'est-ce pas ?

– Pour regarder, il faut aussi jouer à un moment ou à un autre – sinon, vous devez partir, comme Mr. Kips.

– Oh ! je jouerai, je vous en fais le serment. Je prendrai le dernier pétard. Les chances du divisionnaire seront meilleures.

– Vous êtes aussi stupide qu'ennuyeux. Il n'y a aucun mérite à choisir la mort lorsqu'on désire mourir. Mais à quoi rime ce numéro de Deane ?

– Je crois qu'il est en train d'improviser. »

L'acteur était toujours près de la table. Il se versa encore un verre de porto. Cette fois, personne ne chercha à profiter de son indécision. Il ne restait plus en course que le divisionnaire et moi-même.

« Merci, mon commandant, déclara Deane. Délicate attention. Ça n'a jamais fait de mal à personne de puiser un peu de courage dans la bouteille – En ce qui vous concerce, capitaine, je sais que c'est chose superflue – Trop aimable, mon commandant, mais on n'en apprécie que davantage le bouquet – si vous revenez sain et sauf, nous en partagerons une autre bouteille – J'espère que ce sera encore du Cockburn, commandant. »

Je me demandai s'il allait nous dérouler tout le dialogue jusqu'à l'aube, mais il posa son verre après la dernière phrase, salua impeccablement, marcha droit vers le baquet, farfouilla dans le son, retira un diablotin, l'ouvrit et s'écroula sur le sol entre son cylindre et son chèque.

« Ivre mort », commenta le docteur Fischer en donnant l'ordre aux jardiniers de le porter à l'intérieur de la maison.

Le divisionnaire me regarda depuis le bout de la table et demanda : « Pourquoi êtes-vous resté, Mr. Jones ?

– Je n'ai rien de mieux à faire de mon temps, général.

– Ne m'appelez pas ainsi. Je ne suis pas général, mais divisionnaire.

– Et *vous,* divisionnaire, pourquoi êtes-vous resté ?

– Il est trop tard pour battre en retraite. Le courage me manque. J'aurais dû aller au baquet le premier, quand les chances étaient meilleures. Que racontait Deane ?

– Je crois qu'il interprétait le rôle d'un jeune capitaine qui se porte volontaire pour une mission désespérée.

– Je suis un divisionnaire, et les divisionnaires ne se lancent pas dans les missions désespérées. D'ailleurs en Suisse, les missions désespérées, ça n'existe pas. A moins que celle-ci ne soit l'exception. Voulez-vous passer le premier, Mr. Jones ? »

J'entendis Mrs. Montgomery demander à Belmont : « Que pensez-vous des obligations convertibles ?

– Vous en possédez déjà trop, dit Belmont, et je crois que le dollar en a encore pour un bon bout de temps à se remettre.

– Je propose que vous y alliez d'abord, divisionnaire. Je n'ai pas besoin d'argent, et vous aurez ainsi plus de chances. Moi, je suis en quête d'autre chose.

– Dans mon enfance, je jouais à la roulette russe avec un pistolet à bouchon. C'était fort excitant. » Il ne faisait pas mine de bouger.

Belmont continuait de conseiller Mrs. Montgomery. « Pour ma part, je songe à investir chez les Allemands. Prenez Badenwerk, de Karlsruhe : ils paient du huit cinq huitièmes pour cent – seulement; il y a toujours le danger que représente la Russie, n'est-ce pas ? L'avenir est plutôt incertain. »

Voyant que le divisionnaire ne semblait pas disposé à bouger, je me décidai. Je voulais mettre un terme à la soirée.

Je dus brasser une grande quantité de son avant de trouver un pétard. A la différence de l'enfant qui avait pratiqué ce sport avec un pistolet à bouchon, je ne ressentis pas la moindre excitation – simplement, lorsque ma main rencontra un diablotin, l'impression d'être plus proche d'Anna-Luise que je ne l'avais été depuis cet instant où, tandis que j'attendais dans la chambre d'hôpital, le jeune médecin était venu m'annoncer sa mort. Je serrai le pétard comme j'aurais pu serrer sa main. L'écho des propos échangés à table continuait de me parvenir.

« Je fais davantage confiance aux Japonais, disait Belmont. Mitsubishi ne paie que six trois quarts, mais pourquoi aller prendre des risques inutiles avec deux millions ?

Je me rendis compte que le divisionnaire venait de me rejoindre.

« Je crois que nous devrions nous en aller, à présent, dit Mrs. Montgomery. J'ai peur qu'il n'arrive quelque chose, bien qu'au plus profond de moi-même, je reste persuadée que le docteur Fischer s'est contenté de nous jouer un petit tour.

– Si vous voulez renvoyer votre voiture avec le chauffeur, je vous reconduirai et nous pourrons parler de vos investissements pendant le trajet.

– Vous attendrez bien que la réunion s'achève, fit le docteur. Cela ne saurait guère tarder.

– Oh ! cette soirée d'adieu était merveilleuse, mais il commence à se faire tard pour ma pauvre petite personne. » Mrs. Montgomery agita ses mains dans notre direction. « Bonne nuit, général. Bonne nuit, Mrs. Jones. Où est donc passé Mr. Deane ?

– Il doit être allongé sur le carreau de la cuisine. J'espère qu'Albert ne va pas lui piquer son chèque. Il me rendrait sûrement son tablier, et je perdrais un excellent domestique. »

Le divisionnaire chuchota à mon oreille : « Naturellement, nous pourrions tout bonnement le planter là et nous éclipser. Si vous m'accompagnez. Je ne veux pas partir seul.

– Moi, je ne suis attendu nulle part. »

Les murmures du divisionnaire n'avaient pas échappé au docteur. « Vous connaissiez les règles d'entrée de jeu. Vous auriez dû partir dès le début avec Mr. Kips. Maintenant que vos chances ne sont plus aussi bonnes, vous commencez à avoir peur. Songez à votre honneur de soldat, sans parler de la récompense.

Il y a encore deux millions de francs dans ce baquet. »

Mais le divisionnaire ne bougeait pas. Il me regardait avec la même expression suppliante. Quand on a peur, on a besoin d'une autre présence. Impitoyable, le docteur Fischer continua : « Si vous vous décidez rapidement, vous jouez encore à deux contre un. »

Le vieil homme ferma les yeux et trouva son pétard dès la première tentative, mais il demeura près du baquet, l'air indécis :

« Revenez ici, divisionnaire, si vous avez peur de l'ouvrir, et laissez Mr. Jones tenter sa chance. »

Le divisionnaire me contemplait avec le regard triste d'un épagneul qui cherche à hypnotiser son maître pour lui faire prononcer l'ordre magique : « Va. » « J'ai été le premier à tirer un diablotin, dis-je. Je pense que vous devriez me permettre de l'ouvrir d'abord.

— Bien sûr, bien sûr. C'est votre droit. »

Je le suivis des yeux tandis que, muni de son pétard, il regagnait la table, à bonne distance. Avec une seule main valide, j'eus quelque peine à défaire la papillote. Pendant que j'hésitais, je sentis peser sur moi le regard du divisionnaire. Il m'observait avec me sembla-t-il, une lueur d'espérance. Peut-être était-il en train de prier — après tout, je l'avais aperçu à la messe de minuit, pourquoi n'aurait-il pas été croyant? —, peut-être, en ce moment même, s'adressait-il à Dieu : « Je vous en supplie, faites qu'il parte en fumée. » Si j'avais eu la foi, sans doute aurais-je fait une prière assez semblable — « Faites que ce soit la fin »; d'ailleurs, n'étais-je pas à moitié croyant, sinon comment expliquer que j'aie ressenti la présence d'Anna-Luise pendant tout le temps où je tins le pétard dans ma main? Anna-Luise était morte. Elle ne pouvait continuer d'exister quelque part que si Dieu lui-même existait. Je mordis une extrémité de la papillote et tirai d'un coup sec. Il y eut à peine un léger craquement. Ce fut comme si Anna-Luise avait retiré sa main de la mienne et s'était éloignée entre les feux pour gagner le lac et y mourir une seconde fois.

Le docteur Fischer parla. « A présent, divisionnaire, les chances sont égales. » Je ne l'avais jamais haï autant qu'à cette minute. Il nous torturait, tous les deux.

Il jouait sur ma déception et sur la peur de Krueger.

« Vous voici enfin face au feu de l'ennemi, divisionnaire. N'est-ce point une chose dont vous avez rêvé pendant ces longues années de neutralité suisse ? »

La voix triste du divisionnaire me parvint tandis que je contemplais le pétard superflu au creux de ma main.

« J'étais jeune, alors. Aujourd'hui je suis vieux.

– Mais deux millions de francs, tout de même. Je vous connais depuis longtemps, divisionnaire. Je sais quel prix vous attachez à l'argent. Vous avez épousé une fortune, et certes pas une beauté; pourtant, quand votre femme est morte en vous laissant tout ce qu'elle possédait, cela n'a pas suffi à vous satisfaire, sinon vous ne seriez jamais venu à mes soirées. Voici enfin votre chance. Deux millions de francs que vous aurez gagnés par vous-même. Deux millions contre un peu de bravoure. Un peu de valeur guerrière. Face aux canons, divisionnaire. »

En tournant mon regard vers la table, je constatai que le vieil homme était au bord des larmes. Je plongeai à nouveau la main dans le baquet de son et en retirai le dernier diablotin, celui qui aurait dû revenir à Mr. Kips. Une nouvelle fois, je mordis la papillote et tirai, mais n'obtins que le même petit bruit, comparable au frottement d'une allumette.

« Quel imbécile vous faites, Jones, dit le docteur. Qu'aviez-vous besoin de vous précipiter ? Vous m'avez énervé tout au long de la soirée par votre seule présence. Vous ne ressemblez pas aux autres. Vous ne rentrez pas dans le tableau, et ne m'avez été d'aucune utilité. Vous ne prouvez rien. Ce n'est pas l'argent que vous cherchez. Vous ne convoitez que la mort. Cette sorte de convoitise ne m'intéresse pas.

– Il ne reste plus que mon pétard, fit observer le divisionnaire.

– Exact, et votre tour est venu. Pas question d'y échapper. Vous devez jouer le jeu jusqu'au bout. Levez-vous et allez vous placer à bonne distance. Contrairement à Jones, je ne souhaite pas mourir. » Le vieil homme ne bougea pas.

« Je ne peux pas vous exécuter pour lâcheté devant

l'ennemi, mais je vous garantis que cette histoire fera le tour de Genève. »

Je sortis les deux chèques de leurs cylindres et regagnai ma table. Je lançai l'un des chèques en direction de Fischer. « Voici la part de Kips, à diviser entre les autres.

– Vous gardez le deuxième ?

– Oui. »

Il me gratifia d'un de ses dangereux sourires. « Au bout du compte, Jones, je ne désespère pas de vous faire entrer dans le tableau. Asseyez-vous et prenez un autre verre pendant que le divisionnaire rassemble son courage. Vous voilà riche. Enfin, relativement. A votre niveau. Retirez l'argent de la banque dès demain et placez-le quelque part en sûreté. Je suis sincèrement convaincu que vous ne tarderez pas à vous comporter comme les autres. Il se pourrait même que je me remette à donner des soirées, ne serait-ce que pour observer les progrès de votre cupidité. Mrs. Montgomery, Belmont, Kips, Deane – quand j'ai fait leur connaissance, ils n'étaient guère différents de ce qu'ils sont aujourd'hui. Mais vous, vous aurez été ma création – tout comme Adam fut celle de Dieu. Votre temps est écoulé, divisionnaire. Ne nous laissez plus attendre. La fête et finie, les feux vont s'éteindre, il commence à faire froid et l'heure est venue pour Albert de débarrasser. »

Le divisionnaire restait assis sans dire un mot, sa vieille tête penchée au-dessus du pétard rosé sur la table. Il est vraiment en train de pleurer, pensai-je (je ne pouvais voir ses yeux), il pleure le rêve perdu d'héroïsme qui, j'imagine, berce tout jeune soldat.

« Allons, divisionnaire, conduisez-vous en homme.

– Comme vous devez vous mépriser vous-même », dis-je au docteur Fischer. Je ne sais ce qui me poussa à parler ainsi. C'était comme si on m'avait soufflé les mots dans le creux de l'oreille et que je me fusse contenté de les répéter à mon voisin. Je fis glisser le chèque vers le divisionnaire et annonçai : « Je rachète votre diablotin pour deux millions de francs. Donnez-le-moi. »

Il émit un « non, non » à peine audible, mais n'opposa aucune résistance lorsque je retirai le pétard d'entre ses doigts.

« Que comptez-vous faire, qu'est-ce que vous voulez dire, Jones ? »

Je ne me donnai pas la peine de répondre au docteur Fischer – j'avais mieux à faire; d'ailleurs, je ne connaissais pas la réponse. La voix qui me guidait ne me l'avait pas fournie.

« Restez où vous êtes. Et répondez-moi nom de Dieu : qu'est-ce que vous voulez dire ? »

J'étais bien trop heureux pour répliquer : je tenais entre mes doigts le diablotin du divisionnaire. Je m'éloignai de la table et descendis la pelouse en direction du lac, comme Anna-Luise dans ma vision de tout à l'heure. A mon passage, le divisionnaire enfouit son visage dans ses mains. Les jardiniers avaient disparu et les feux étaient en train de mourir. « Revenez, appela le docteur Fischer, revenez, Jones. Je désire vous parler. »

Une fois au pied du mur, pensai-je, il a peur, lui aussi. J'imagine qu'il veut éviter un scandale. Qu'il ne compte pas sur mon aide. Cette mort m'appartenait, elle était mon enfant, mon unique enfant, et celui d'Anna-Luise également. Aucun accident de ski n'allait nous le ravir, cet enfant que je tenais dans ma main. Je n'étais plus seul – les solitaires, c'étaient eux, le divisionnaire et le docteur Fischer, chacun assis à un bout de la longue table, guettant le bruit de ma mort.

Je parvins tout au bord du lac, là où l'inclinaison de la pelouse me dissimulerait à leurs yeux et pour la troisième fois, mais avec le calme de la certitude, je mordis la papillote, puis tirai sur le diablotin de ma main droite.

Le craquement ridicule et insignifiant, le silence ensuite me révélèrent à quel point j'avais été berné. Le docteur Fischer avait volé ma mort et humilié le divisionnaire; il avait démontré la cupidité de ses riches amis et maintenant, assis en bout de table, il riait de nous. De son point de vue, cette soirée d'adieu était une réussite.

A cette distance, je ne pouvais pas entendre son rire.

En revanche, j'entendis, suivant le bord du lac, le bruit alternativement feutré et grinçant de pas sur la neige. Celui qui marchait s'arrêta brutalement en me voyant – pour ma part, je ne pus distinguer qu'un complet sombre qui se découpait sur le fond blanc du paysage. « Qui êtes-vous ? demandai-je.

– Mais c'est Mr. Jones, fit une voix. Aucun doute, c'est Mr. Jones ?

– Oui.

– Vous ne vous souvenez pas de moi. Je suis Steiner.

– Que diable venez-vous faire ici ?

– Je ne pouvais plus supporter ça.

– Quoi donc ?

– Ce qu'il lui a fait. »

J'avais l'esprit tout occupé d'Anna-Luise et sur le moment, je ne compris pas un mot de ce qu'il me racontait. Puis je lui répondis : « Vous ne pouvez plus rien y changer, à présent.

– J'ai appris ce qui est arrivé à votre femme. Je suis sincèrement désolé. Elle ressemblait tellement à Anna. En entendant la nouvelle, j'ai eu l'impression qu'Anna mourait une seconde fois. Il faut me pardonner. Je m'exprime maladroitement.

– Non. Je comprends ce que vous éprouvez.

– Où est-il ?

– Si vous parlez du docteur Fischer, il vient de nous jouer son dernier tour, le meilleur de tous, et je suppose qu'il est là-haut en train de rire tout seul.

– Il faut que je le voie.

– Pourquoi ?

– Quand j'étais dans cet hôpital, j'ai eu beaucoup de temps pour réfléchir. C'est d'avoir vu votre femme qui a tout déclenché. Quand je l'ai aperçue dans le magasin, j'ai cru voir Anna ressuscitée. J'avais subi trop de choses – il détenait un tel pouvoir; il avait inventé le Bouquet Dentophile; il était un peu comme Dieu Tout-Puissant; capable de m'ôter mon travail; capable, même, de m'ôter Mozart; je n'ai plus jamais voulu écouter Mozart après sa mort. Il faut que vous compreniez, je vous le demande en son nom. Nous n'avons jamais été de véritables amants, mais il avait une façon de salir l'innocence. A présent, je veux m'approcher suffisamment de lui pour cracher au visage de Dieu Tout-Puissant.

– Il est un peu trop tard pour cela, ne croyez-vous pas ?

– Il n'est jamais trop tard pour cracher sur Dieu Tout-Puissant. Il vit dans les siècles des siècles, ainsi soit-il. Et il nous a fait ce que nous sommes.

– Dieu, peut-être, mais pas le docteur Fischer.

– Le docteur Fischer m'a fait ce que je suis.

– Oh ! – ce petit homme qui avait troublé ma solitude commençait à m'énerver – allez donc là-haut lui cracher dessus. Et grand bien vous fasse. »

Il se détourna de moi pour suivre des yeux la pente de la pelouse, que nous distinguions maintenant difficilement à la lueur mourante des feux. Mais Mr. Steiner n'eut pas besoin d'aller au docteur Fischer, car le docteur Fischer vint à lui : il descendait vers nous pas à pas, laborieusement, les yeux baissés vers ses pieds qui dérapaient parfois sur une plaque de verglas.

« Le voici, dis-je, vous pouvez préparer votre crachat. »

Nous l'attendîmes sans bouger, et il parut mettre un temps infini à nous rejoindre. Il s'arrêta à quelques mètres pour me dire : « Je ne savais pas que vous étiez là. Je vous croyais parti, depuis le temps. Ils sont tous partis. Le divisionnaire aussi.

– Avec son chèque ?

– Naturellement. Avec son chèque. » Dans la pénombre, il aperçut mon compagnon. « Vous n'êtes pas seul. Qui est cet homme ?

– Il s'appelle Steiner.

– Steiner ? » Je n'avais encore jamais vu le docteur Fischer dans l'embarras. Il semblait avoir laissé à table la moitié de son esprit et quêter une aide auprès de moi. Une aide que je lui refusai.

« Qui est ce Steiner ? Que fait-il ici ? » Il parut chercher longuement quelque chose qu'il aurait égaré, tel un homme qui retourne le contenu d'un tiroir trop rempli afin de retrouver son chéquier ou son passeport.

« J'ai connu votre femme, dit Steiner. Vous avez

obtenu mon renvoi de Mr. Kips. Vous avez détruit nos deux existences. »

Un silence suivit les paroles de Steiner. L'obscurité gagnait sur la neige, et nous restions tous trois immobiles, comme attendant que quelque chose se passe, mais incapables de prévoir s'il s'agirait d'un ricanement, d'un coup ou d'un simple départ. Mr. Steiner aurait dû profiter de l'occasion pour agir, mais il n'en fit rien. Peut-être savait-il que son crachat ne porterait pas assez loin.

« Votre soirée était fort réussie, dis-je finalement.

– Ah! oui?

– Vous êtes parvenu à humilier tout le monde. Que préparez-vous pour la suite?

– Je ne sais pas. »

J'eus de nouveau l'impression qu'il quêtait un appui auprès de moi. « Vous avez dit quelque chose, tout à l'heure... » Incroyable, le grand docteur Fischer de Genève se tournait vers Alfred Jones pour que celui-ci l'aide à se souvenir – de quoi?

« Vous avez dû bien rire quand j'ai acheté le dernier diablotin. Vous saviez qu'en l'ouvrant, je n'aurais droit qu'à un pet ridicule au visage.

– *Vous,* je n'avais pas l'impression de vous humilier.

– Mais c'est venu en prime, pas vrai?

– Je n'avais pas prévu les choses de cette façon. Vous n'êtes pas comme eux. » Il murmura leurs noms : l'appel des Crapauds, en somme. « Kips, Deane, Mrs. Montgomery, le divisionnaire, Belmont et ces deux autres qui sont morts.

– Vous avez tué votre femme, dit Steiner.

– Non, je ne l'ai pas tuée.

– Elle est morte parce qu'elle ne voulait pas vivre. Pas sans amour.

– L'amour? Je ne lis pas de romans d'amour, Steiner.

– Mais votre argent, vous l'aimez, n'est-ce pas?

– Non. Jones pourra vous expliquer comment ce soir, j'en ai donné la plus grande partie.

– Quelle raison de vivre va-t-il vous rester, Fischer?

demandai-je. Je ne pense pas qu'un seul de vos amis reviendra.

– Qu'est-ce qui vous rend si sûr que je souhaite vivre ? Et vous, le souhaitez-vous ? Vous n'en donniez pas l'impression quand vous avez ouvert ces diablotins. Est-ce que machin, Steiner, souhaite vivre ? Pour vous deux, la réponse est peut-être oui. Et si l'on va au fond des choses, il est possible que ce désir m'anime également. Sinon, qu'est-ce que je fais ici ?

– Quoi qu'il en soit, vous vous êtes bien diverti.

– Oui. C'était mieux que rien. Rien, c'est un peu effrayant, Jones.

– Vous vous êtes vengé d'une étrange manière.

– De quelle vengeance voulez-vous parler ?

– Parce qu'une femme vous a témoigné du mépris, il a fallu que vous méprisiez le monde entier.

– Elle ne me méprisait pas. Peut-être me haïssait-elle. Personne ne sera jamais en mesure de me mépriser, Jones.

– Vous-même excepté.

– Oui – je me rappelle, à présent : c'est cela que vous aviez dit.

– Et c'est vrai, non ?

– J'ai attrapé cette maladie le jour où vous êtes entré dans ma vie, Steiner. J'aurais dû dire à Kips de doubler votre salaire et j'aurais pu offrir à Anna tous les enregistrements de Mozart dont elle avait envie. Je vous aurais achetés tous les deux, comme j'ai acheté les autres – sauf vous, Jones. Maintenant, il est trop tard pour vous acheter. Au fait, quelle heure est-il ?

– Minuit passé.

– L'heure d'aller dormir. »

Il demeura un moment songeur puis s'éloigna, mais il ne prit pas la direction de la maison. Il longea lentement le bord du lac et finit par disparaître, enveloppé dans le silence de la neige que les eaux du lac elles-mêmes ne brisaient pas : aucune marée ne venait lécher la rive à nos pieds.

« Pauvre homme, dit Steiner.

– Vous êtes bien charitable. Pour ma part, je n'ai jamais haï quelqu'un à ce point.

– Vous le haïssez. Moi aussi, sans doute. Mais la haine – ce n'est pas important. Ce n'est pas contagieux. Ça ne s'attrape pas. On peut haïr un homme et en rester là. Tandis que lorsqu'on commence à éprouver du mépris à la manière du docteur Fischer, on finit par mépriser le monde entier.

– Je regrette que vous ne lui ayez pas craché au visage comme vous l'aviez annoncé.

– Je n'ai pas pu – voyez-vous, le moment venu, j'ai eu pitié de lui. »

Combien j'aurais aimé que le docteur soit présent pour entendre que Mr. Steiner le prenait en pitié.

« Il fait trop froid pour rester là sans bouger, dis-je. Nous allons attraper la crève. » Mais n'était-ce point précisément le mal que je souhaitais contracter ? Si j'y mettais le temps nécessaire... Un claquement sec cassa net le fil de mon raisonnement.

« Qu'est-ce que c'était ? fit Steiner. Un moteur qui a des ratés ?

– Non. Nous sommes trop loin de la route. »

Nous n'eûmes à parcourir qu'une centaine de mètres pour découvrir le cadavre du docteur Fischer. Le revolver qu'il avait dû cacher dans sa poche était retombé à côté de sa tête. La neige absorbait déjà le sang de la blessure. J'allongeai le bras pour prendre le pistolet – dans l'idée de l'utiliser à mon tour –, mais Steiner arrêta mon geste. « Laissez la police s'en occuper », dit-il. Je contemplais le corps inerte et le trouvai aussi dépourvu de sens qu'un cadavre de chien. C'était donc cela, le petit tas d'ordures que j'avais naguère comparé à Jéhovah et à Satan.

17

Le fait que j'aie rédigé ce récit montre suffisamment qu'à la différence du docteur Fischer, je n'ai jamais trouvé le courage nécessaire à me tuer; la nuit en question, je n'en avais pas eu besoin, car j'étais bien assez désespéré pour passer aux actes, mais l'enquête a révélé depuis que le revolver ne contenait qu'une seule balle, et mon désespoir ne m'aurait servi à rien, même si Mr. Steiner ne s'était pas emparé de l'arme. La torpeur dans laquelle nous enfoncent les gestes quotidiens sape notre courage, et jour après jour, le désespoir s'appesantit au point que la mort paraît finalement se vider de son sens. J'avais senti Anna-Luise proche de moi quand je tenais le verre de whisky, puis, une nouvelle fois, en mordant la papillote du diablotin, mais à présent je n'espérais plus la revoir dans un quelconque avenir. Il aurait fallu que je croie en Dieu pour pouvoir rêver de notre réunion en ce jour le plus long. Mon minuscule embryon de foi semblait s'être ratatiné à la vue du cadavre de Fischer. Le mal était aussi mort qu'un chien mort, alors pourquoi supposer que le bien bénéficierait d'une immortalité supérieure? Je n'avais plus aucune raison de suivre Anna-Luise, si cela ne devait me mener qu'au néant. Tant que je vivais, je pouvais du moins conserver son souvenir. Je possédais d'elle deux instantanés ainsi qu'une note écrite de sa main, destinée à pouvoir me fixer un rendez-vous, avant que nous ne vivions ensemble; il me restait le fauteuil où elle avait coutume de s'installer, la cuisine où elle remuait les assiettes avant que nous n'achetions notre machine. Autant de reliques comparables à celles qu'on garde dans les églises catholiques. Un soir, tandis que je faisais cuire un œuf pour mon dîner, je m'entendis répéter une phrase du prêtre qui avait célébré la messe de minuit à Saint-Maurice : « Et chaque fois que vous ferez ces choses, vous les ferez en souvenir de moi. » La mort n'était plus une réponse – c'était une inconséquence.

Il m'arrive de prendre une tasse de café en compagnie de Mr. Steiner – il ne boit pas d'alcool. Il me parle de la mère d'Anna-Luise et je ne l'interromps pas. Je le laisse discourir tout en pensant à Anna-Luise. Notre ennemi est mort et notre haine avec lui; il ne nous reste que les souvenirs fort différents de nos amours. Les Crapauds vivent toujours à Genève, ville où j'évite de me rendre autant que je le peux. Un jour, j'ai croisé Belmont près de la gare, mais nous n'avons pas échangé un mot. J'ai aussi aperçu Mr. Kips à plusieurs reprises, mais lui, le regard obstinément fixé sur le trottoir, ne m'a pas vu. Deane, la seule fois où je l'ai rencontré, était trop soûl pour me remarquer. Seule Mrs. Montgomery m'a importuné un jour en m'interpellant joyeusement depuis le seuil d'une bijouterie genevoise : « Ma parole, mais c'est Mr. Smith. » J'ai fait semblant de ne rien entendre et me suis pressé à la rencontre d'un client argentin.

ŒUVRES DE GRAHAM GREENE

Chez Robert Laffont :

romans, nouvelles

TUEUR A GAGES.
ROCHER DE BRIGHTON.
LES NAUFRAGÉS.
LA PUISSANCE ET LA GLOIRE.
LE FOND DU PROBLÈME.
LE MINISTÈRE DE LA PEUR.
LA FIN D'UNE LIAISON.
C'EST UN CHAMP DE BATAILLE.
UN AMÉRICAIN BIEN TRANQUILLE.
NOTRE AGENT A LA HAVANE.
LA SAISON DES PLUIES.
LE TROISIÈME HOMME.
SEIZE NOUVELLES.
LES COMÉDIENS.
POUVEZ-VOUS NOUS PRÊTER VOTRE MARI ?
VOYAGES AVEC MA TANTE.
UN CERTAIN SENS DU RÉEL.
LE CONSUL HONORAIRE.
LA DOTTORESSA.
LE FACTEUR HUMAIN.

théâtre

LIVING-ROOM.
L'AMANT COMPLAISANT.

essais

A LA RECHERCHE D'UN PERSONNAGE.
UNE SORTE DE VIE.
ESSAIS.

« Composition réalisée en ordinateur par IOTA »

IMPRIMÉ EN FRANCE PAR BRODARD ET TAUPIN
7, bd Romain-Rolland - Montrouge - Usine de La Flèche.
LE LIVRE DE POCHE – 12, rue François 1er - Paris.

ISBN : 2 - 253 - 02828 - 2 30/5580/3